Buiten is het maandag

Ander werk van Bernlef

Constantijn Huygensprijs 1984
P. C. Hooftprijs 1994

Achterhoedegevecht (voorheen *Stukjes en beetjes*, roman, 1965)
Sneeuw (roman, 1973)
Meeuwen (roman, 1975)
De man in het midden (roman, 1976)
Onder ijsbergen (roman, 1981)
Hersenschimmen (roman, 1984) Diepzeeprijs 1989
Publiek geheim (roman, 1987) AKO Literatuur Prijs 1987
Ontroeringen (essays, 1991)
Niemand wint (gedichten, 1992)
Schiet niet op de pianist. Over jazz (essays, 1993)
Vreemde wil (gedichten, 1994)
Alfabet op de rug gezien. Poëzievertalingen (1995)
Cellojaren (verhalen, 1995)
Achter de rug. Gedichten 1960-1990 (1997)
Verloren zoon (roman, 1997)
De losse pols (essays, 1998)
Aambeeld (gedichten, 1998)
Meneer Toto – tolk (proza, 1999)
Haalt de jazz de eenentwintigste eeuw? (essays, 1999)
Boy (roman, 2000)
Bernlefs Beste volgens Bernlef (2000)
Bagatellen voor een landschap (gedichten, 2001)
Tegenliggers. Portretten en ontmoetingen (2001)
Verbroken zwijgen (verhalen, 2002)

Bernlef *Buiten is het maandag*

Amsterdam
Em. Querido's Uitgeverij BV
2004

Eerste, tweede, derde en vierde druk, 2003, vijfde druk, 2004

Omslag Brigitte Slangen
Omslagbeeld August Strindberg *Den gula hösttavlan*, 1901,
privé-collectie/Strindbergsmuseet
Foto auteur Chris van Houts

ISBN 90 214 5278 2 / NUR 301
www.boekboek.nl

Zij die verdwenen, raken vergeten
Zij die blijven, vergaan
Alleen de plaatsen waar zij verbleven,
Blijven bestaan.

Maori-zang (fragment) *Anoniem*

I

1

Buiten is het maandag. Dat zegt de stem van de Canadese radio-omroeper vanuit de schemerige woonkamer. *Sleet*, later overgaand in echte sneeuw. Heel Nova Scotia opnieuw onder een witte deken.

'Weest u vooral voorzichtig op de weg.'

'Canadezen spreken bedeesder dan Amerikanen, alsof zij de taal van hen te leen hebben,' zei Tracy een keer. 'Maar dat moet je natuurlijk nooit tegen een Canadees zeggen,' voegde ze daar met een malicieus lachje aan toe.

Tracy is vertrokken en ik ben weer alleen. Iedereen verdwijnt. Eerst Geesje, toen Harry, nu Tracy. Ik kijk naar buiten, naar de gesloten wal van het dennenbos achter de braakliggende, gitzwarte akker. De lucht ziet loodgrijs, maar er valt nog geen sneeuw uit, zelfs geen natte sneeuw.

De weersvoorspelling behoort hier tot de wereld van verhalen en raadsels; op het weer valt geen staat te maken. Iedereen weet dat. In Sandy's dorpswinkel is het weer het belangrijkste gespreksonderwerp. De wispelturigheid van het weer. Golfstromen, winden die hoog in de stratosfeer voortdurend van richting en snelheid veranderen, bosjes tegen elkaar in draaiende pijltjes op het tv-scherm van de weerman. Waarom luisteren en kijken mensen bij al die onvoorspelbaarheid toch iedere dag naar het weerbericht?

Bruce Grady zegt dat een mens iets moet hebben om zich aan vast te klampen. Zo zitten mensen nu eenmaal in elkaar, zegt hij, ze zijn niet gebouwd op verandering, ze willen vastigheid, dag in dag uit. Tot de dood erop volgt voegt hij eraan toe, de enige zekerheid. Zulke conclusies trekt Bruce graag. Hij is een filosoof. Van de koude grond, zegt hij zelf. En dat kan kloppen. Buiten vriest het. 'Buiten is het maandag,' zegt de omroeper nog een keer, alsof dat niet voor hierbinnen geldt.

Hoe voelde je je bij je geboorte?

Een absurde vraag, maar op die manier denk ik eraan terug. Eerst stilte, nee, voortkabbelende rust, een zacht deinen, dan die oorverdovende klap die mij de wereld in slingerde en toen weer stilte. Een coma die tien dagen duurde, zeiden de doktoren in het ziekenhuis, tien dagen, verdwenen in een zwart gat.

Boven mij gaan de weergoden hun grillige gang, hier lijkt alles stil te staan. Twee pikzwart glanzende roeken hippen van de ene bevroren aardkluit op de andere, blijven dan roerloos zitten. Nu is er daarbuiten niets meer dat beweegt.

Het is van het grootste belang alles te ordenen, regelmaat aan te brengen. Bruce heeft gelijk, mensen houden niet van het ongewisse.

De omroeper die het weerbericht voorleest doet dat altijd met een licht ironische ondertoon. Hij weet dat zijn woorden de feiten maar ten dele dekken. Toch moeten ze uitgesproken worden. Zelfs als het gaat om iets dat niet onder woorden te brengen valt, iets dat zich tussen woorden en gebeurtenissen in beweegt. Juist dan.

Sinds het ongeluk, nu anderhalf jaar geleden, heb ik moeite mij dingen in de juiste volgorde te herinneren. Sommige gebeurtenissen komen mij levendig voor, alsof ze pas gisteren zijn voorgevallen, andere, zoals Tracy's vertrek, lijken mij nu al lang geleden en ver weg, alsof ik er zelf geen deel van uitmaakte.

De chronologie van een leven is net zoiets als een weerbericht: ze lijkt feitelijk, zakelijk. Zo en niet anders. Van daar naar daar, eerst dit toen dat. Maar mijn herinneringen eraan lijken meer op die grillige winden die in de stratosfeer tegen elkaar in draaien. Alleen zo kan ik vertellen, alleen op deze manier kan ik voeling met mijn leven houden, het gevoel dat dit mij overkomen is en niet iemand anders, die ander die in dat zwarte gat huist.

De artsen beweerden dat ik geen nadelige gevolgen aan het auto-ongeluk zou overhouden, dat mijn geheugen vanzelf weer op orde zou komen. Maar dat is niet zo, er is een nieuwe ordening voor in de plaats gekomen waarbinnen minieme details zich op de voorgrond dringen en belangrijke gebeurtenissen zich in een mist lijken te hebben teruggetrokken.

Mist, ook een onderwerp dat in Sandy's landwinkel regelmatig aan de orde komt. Oktober, november en december, de mistmaanden. Soms word je wakker en is het alsof de wereld buiten verdwenen is, opgelost. De geluiden klinken dof en gedempt. Als je buiten in je handen klapt is het alsof je handschoenen aanhebt. Er gaan dagen voorbij dat je de zon niet te zien krijgt. Het licht aarzelt een paar uur en dooft weer.

Ik heb hier voor mij twee bureauagenda's, een van 1999 en een van 2000. Voorin mijn naam: Stijn Bekkering/ Venduhuis De Oorsprong. Adres: Vaartweg 12, Obdam. Tel. 0226-452378. Daarin heb ik in telegramstijl de feiten op een rijtje gezet, genoteerd van dag tot dag. Maar in mijn hoofd heerst louter warreling. Waar te beginnen?

2

Mensen kunnen op verschillende manieren wegraken. Je kunt ze uit het oog verliezen, zoals in de loop van je leven zoveel mensen. Klasgenoten van de lagere school, vriendjes uit het dorp, mensen van wie je ooit dingen gekocht hebt, klanten. Toch, op de een of andere manier blijven ze je bij en al denk je zelden of nooit aan ze, ze vormen toch de stoffering van je bestaan, geven je het gevoel geleefd te hebben, bewogen te hebben, dingen te hebben meegemaakt.

Mensen kunnen verdwijnen. Vermist. Dan kun je ze gaan zoeken. Zolang de zoektocht duurt bestaan de mensen naar wie je op zoek bent. Of je ze tenslotte vindt doet er minder toe, ze blijven bestaan, echt of denkbeeldig. Zolang je ze zoekt. En als je ze gevonden hebt, blijken ze vaak heel iemand anders te zijn dan degenen die je zocht.

Een mens kan ook verdwijnen door dood te gaan. Dat is de meest voorkomende manier van wegraken.

Ik heb vader en moeder zien sterven. Vijf jaar geleden Ate, twee jaar later Irma. Moe, ziek en in de war. In de laatste weken van hun leven zag ik hoe ze bezig waren te vertrekken. Ze leken op het laatst niets meer te zien en als ze wel iets zagen niemand te herkennen, zelfs mij niet meer. Ze lieten hun lichamen achter. Ik zag dat er iets uit verdwenen was, iets dat mensen de ziel noemen. Ik heb nooit aan een ziel geloofd, het klinkt mij te godsdienstig. Maar toen ik aan hun sterfbed zat, zag ik dat de ziel bestond. Tijdens hun leven had ik haar nooit gezien, maar toen ze dood waren, zag ik dat er iets verdwenen was. Ziel. Iets dat zich alleen maar kenbaar maakt door afwezigheid.

Geesje stierf zonder te verdwijnen. Ik zat naast haar toen we op weg van Middenbeemster naar huis van de weg af raakten en in het donker tegen een boom vlogen. Ik verdween in dat zwarte gat en toen ik daar tien dagen later uit kwam was ze begraven. Ik heb dat mijn zoon Harry nooit vergeven. 'We dachten dat je het niet zou halen,' zei hij. 'De doktoren ook. En we konden niet eeuwig wachten.'

Ik was bij haar toen ze stierf en toch had ik er niets van gemerkt, ik herinnerde me niets van het ongeluk. Toen ik bijkwam zat Harry's vrouw naast me in die witte ziekenhuiskamer. Ergens in een hoek zoemde een ventilator. Sandra's blonde pony plakte op haar voorhoofd, buiten moest het warm zijn. Of misschien zweette ze van angst. Hoe het me te vertellen? Nadat ze het verteld had leken mijn handen op het omgeslagen laken opeens onmetelijk veraf. Ik moet hier weg, dacht ik, ik wil onmiddellijk naar haar toe. Maar dat kon niet, ze was al begraven. Ik geloof dat ik mijn hoofd naar de muur heb gedraaid. Dit overleef ik niet, dacht ik. Maar een mens overleeft.

Ik ben naar haar graf gegaan. Ik heb de bloemen, de kransen gezien, maar degene die daar op het kerkhof stond te staren naar die plek in de grond was een ander. Hij stond erbij en hij keek ernaar. Niet ik. Ze dachten dat ik het niet zou halen, dat ik me bij haar zou voegen. Dat was het enige verlangen dat ik toen koesterde. Er niet meer zijn, niet meer mijn ogen open hoeven doen. Iedere dag weer dat licht, die dingen om mij heen die mij stuk voor stuk alleen maar aan haar herinnerden, aan haar steeds onherroepelijker afwezigheid. Nee, haar ziel was allerminst verdwenen.

In die tijd schreef ik nog niets in mijn agenda. Daar ben ik pas twee maanden later mee begonnen, op advies van mijn huisarts, de oude Van Berkel. 'Het helpt je gedachten te ordenen,' zei hij. 'Als alles in je hoofd door elkaar loopt is het goed dingen op te schrijven, vast te leggen; je leven weer op de rails te zetten.' Zo formuleerde hij het.

3 juli 1999. Precies twee maanden geleden. Dagen, maanden, jaren. Woorden zonder inhoud. Ik zit nog steeds naast haar. Iedere nacht. Niemand begrijpt hoe ik van de weg ben geraakt.

Mijn kleinzoon Martijn belde. Of ik mee wilde naar Artis. Natuurlijk zit Sandra daarachter. Goed bedoeld maar ik kan niet. Ik heb De Oorsprong weer opengedaan en zit tussen de spulletjes, spulletjes van anderen: meubels, bedden, gebruiksvoorwerpen. 'Nee Martijn,' zei ik. 'Opa moet werken. Een andere keer.'

Ik blader verder in de bureauagenda. Ik lees wat ik toen deed zonder mij er veel van te herinneren. Er kwamen mensen in de hal die meubels kochten, een tweepersoonsbed, een oude Underwood-schrijfmachine, een koperen krantenbak met daarin uitgestanst het woord 'couranten'. Ik werd gebeld, reed met mijn bestelbus naar een adres in de polder en haalde spulletjes op. Mensen die gingen verhuizen, mensen die waren overleden, hun kinderen die de inboedel zo duur mogelijk wilden verkopen. Ik was in die tijd een handelaar van niks. Vroeger wist ik precies waar alle dingen in de hal stonden, nu moest ik lang zoeken voor ik vond waar ik naar zocht.

Toch ben ik blij dat ik het advies van Van Berkel heb opgevolgd. Bladerend door de twee agenda's kan ik mijn leven reconstrueren. Alleen, het wil maar niet het mijne worden.

3

De Oorsprong: een enorme hal, honderd meter lang en bijna dertig meter hoog, even buiten Obdam, volgestapeld met alles waarmee een mens zijn huis inricht. Lampen, dressoirs, wasbakken, cassettes met bestek, wekkers, broodroosters en fruitschalen. Op de omloop bedden en nachtkastjes, tafels en stoelen. Ik wist waar al die spullen vandaan kwamen, had ze zelf opgehaald, wist van wie ze geweest waren. Ate vond die opkoperij maar niets. Van meubelmakerij tot uitdragerij, zei hij misprijzend, maar het was de enige manier om de zaak draaiende te houden.

In de jaren vijftig verdiende Ate de kost met het op bestelling maken van meubels. Mooie kasten. Glanzend blank gelakte eikenhouten tafels met stevige balpoten. Maar toen de mensen meer begonnen te verdienen schafften ze van dat fabrieksspul aan, ranker en lichter dan de loodzware, op een heel leven berekende meubels van Ate. Zijn tafels en stoelen hielden een huis op zijn plaats, verankerden het. Maar mensen waren op drift geraakt. Ze kochten liever nieuw als ze weer eens verhuisden. Het gevoel voor inrichting verdween, volgens Ate. De mensen doen tegenwoordig maar aan.

Ik zag wel handel in al die afgedankte spullen. Ates handen begonnen krom van de reumatiek te staan, spoedig zou hij het meubelmaken moeten opgeven en wat dan? Morrend ging hij akkoord. Ik zette advertenties in plaatselijke blaadjes, in het *Noordhollands Dagblad*. De telefoon begon te rinkelen. Tussen een van de eerste inboedels die ik met onze bestelbus ophaalde herkende Ate een kast die hij zelf had gemaakt. Hij vloekte bij het uitladen. Hij had er geen aardigheid meer in, bleef tenslotte bij Irma thuis. Zonder dat we er met een woord over spraken nam ik de handel over. In plaats van Meubelmakerij De Oorsprong stond er op een bord aan de rand van de dijk 'Venduhuis De Oorsprong'. Venduhuis, dat klonk chiquer dan 'uitdragerij'.

Voor de kleine Martijn was het een paradijs, de grootste rommelzolder die een kind zich kon wensen. Hele dagen zwierf hij tussen de spullen rond. Als er geen klanten waren richtten wij met oude meubels kamers in, speelden wij dat hij een eigen huis had, er woonde. Op een oude pick-up draaiden wij krakende schellakplaten die met de inboedels meekwamen. Schlagers, liedjes van Lou Bandy en Willy Derby. 's Middags viel hij op een van de vele bedden in slaap. Als Harry hem van zijn werk uit Alkmaar kwam ophalen moesten we hem zoeken, hij wilde niet mee naar huis, riep tegenstribbelend aan Harry's hand dat hij hier wilde wonen, bij opa. 'Hij wordt mijn opvolger,' zei ik lachend tegen Harry. 'Zoals ik Ate ben opgevolgd.' 'Ik heb andere plannen met hem,' zei Harry afgemeten. Nee, gevoel voor humor kon je Harry niet aanwrijven, ook geen gevoel voor wat kleine kinderen bezielde.

Ik genoot van Martijns bezoeken. Door hem kon ik er zelf ook op los fantaseren. We bouwden een kasteel, of een kazemat van op elkaar gestapelde meubels. Door de open ruimtes stak Martijn een douchestang met kop, zijn mitrailleur. Peng, peng. Toen hij ouder werd ging zijn belangstelling meer uit naar apparaten. Grammofoons, buizenradio's, schrijfmachines, wekkers en sleestofzuigers. Als ze stuk waren probeerde hij ze te repareren en soms lukte hem dat ook nog. Martijn was technisch aangelegd. Als ik dat tegen Harry zei, herhaalde hij dat hij andere plannen met Martijn had.

Ik weet het, mijn zoon kijkt op mij neer omdat ik niet meer dan mulo heb. Zelf heeft hij de hbs in Alkmaar doorlopen. Toen hij zeventien was ging hij bij een makelaar werken. Eerst als manusje van alles. Maar al na drie jaar had hij zijn makelaarsdiploma op zak en draaide hij als volwaardig lid van de firma Dasbode & Geijzelaar mee. Huizen taxeren, huizen kopen en verkopen. Door zijn werk ontmoette hij bijzondere mensen, zei hij. Ja ja, dat is wel gebleken.

Martijn is de enige die ik mis. En Geesje natuurlijk, maar dat spreekt vanzelf. Missen is ook niet het woord. Als ik aan Martijn denk – hij is nu dertien – zie ik hem op een dijk voorovergebogen tegen de wind in door de polder naar school fietsen, zijn schooltas onder de snelbinders. Als ik aan Geesje denk zijn er alleen maar beelden die elke dag verder verbleken, steeds minder substantie lijken te krijgen. Soms twijfel ik wel eens aan het bestaan ervan. Maar dan opeens keert er een beeld uit de vergetelheid terug en raakt mij aan, zoals de hand van Tracy mijn schouder.

'Waarom schrik je?' vroeg ze.

'Ik dacht even dat het iemand anders was.'

Ze knikte, begreep wat ik bedoelde. Iemand met wie je tweeënveertig jaar geleefd hebt mis je zoals een invalide zijn afgezette been: je voelt het de hele tijd al is het er niet meer. Fantoompijn wordt dat geloof ik genoemd.

4

Tracy had het er wel een paar keer over gehad, over weggaan, maar ik had dat nooit erg serieus genomen. Tracy was impulsief. De ene dag dit, de andere dat. Toen ze tenslotte met haar donkerblauwe rugzak in de kamer stond, zei ik: 'Eigenlijk kun je niet weggaan.'

'Waarom niet?'

'Omdat je te veel van me weet.'

'Dat vergeet ik wel weer,' zei ze luchtig.

Ik knikte en zweeg even.

'Daarentegen weet ik niet erg veel van jou.'

'Des te beter,' zei ze. 'Ik schrijf nog wel.'

Ik stond in de deuropening en wuifde haar na, keek hoe ze met haar rugzak in het bos verdween. Daarachter lag de weg, een kilometer naar het zuiden was de bushalte. De hemel hing vol donkere wolken. Ik ging weer aan tafel zitten. Die middag kwam Bruce Grady langs.

Hij schudde als een hond zijn warrige bos haar. Bruce is vijf jaar jonger dan ik, zestig, maar hij ziet er tien jaar jonger uit. Hij hing zijn versleten leren jack over de rug van een keukenstoel, liep naar de tegelkachel om zijn handen te warmen en wees naar het plafond.

'Is Tracy boven?'

Ik schudde mijn hoofd, vertelde hem dat ze weg was.

'Weg,' zei hij. 'Zomaar? Hebben jullie soms ruzie gehad?'

'Ze ging zoals ze gekomen is,' zei ik. 'Met haar rugzak.'

'Waar is ze heen?'

'Ze had het over Amerika, New York.'

'Misschien heeft ze gelijk,' zei Bruce. 'Voor een meid van twintig is het hier op den duur niet uit te houden.' Weer keek hij naar de balken van het plafond. 'Weet je wat hier vroeger boven was?'

Ik schudde mijn hoofd.

'Een moestuin. Terence Wilder woonde hier toen. Het is alweer zo'n tien jaar geleden. Hij was te oud geworden om de grond te bewerken, voor zijn paar koeien te zorgen. Maar hij moest toch leven? En zo begon hij aarde op de bovenverdieping te storten. Eerst een laag bouwplastic en daarop aarde. In de slaapkamer aardappels, in de twee achterkamers bonen, sla en uien. En op de plaats waar nu de badkamer is had hij een kasje gebouwd voor kruiden. Basilicum, rozemarijn, peterselie. De oude tegelkachel verwarmde het hele huis. Iedereen verklaarde die oude voor gek, maar ik vond het wel een idee. Ik kocht wel eens wat groente van hem, in ruil voor een paar flessen.'

Bruce keek mij aan. Hij dacht dat ik niet geluisterd had.

'Neem een hond,' zei hij, 'een hond is beter gezelschap dan een vrouw. Voor jou.'

'En voor jou?'

'Soms ga ik naar de Rose Room in Lenfield, als ik tenminste geld heb. Weet je wat voor tekst daar hangt? "If you think our barmaids are beautiful, don't drive." '

Bruce wreef in zijn handen. Over de rug van zijn rechterhand liep een veeg olie.

'Ik vroeg me af,' zei hij, 'heb jij misschien nog ergens

een oude wringer liggen? Je weet wel, zo'n ding waar vrouwen vroeger de was doorheen mangelden. Van voor de tijd van de wasmachines en de droogtrommels.'

'Misschien,' zei ik. 'Vaag staat me bij dat ik ergens zo'n ding heb zien liggen. Waarvoor heb je het nodig?'

'Zul je wel zien.'

We liepen naar zijn zwarte pick-up. Een Dodge.

'Dus nu ben je ook alleen,' zei hij achter het stuur. Vergiste ik mij of klonk er een soort voldoening in die constatering door?

'Voorzover een mens ooit alleen is,' zei ik.

We reden over de timberweg in de richting van de kust. Het venduhuis dat ik hier op aandringen van Bruce dit jaar begonnen ben heet The Collector, maar Bruce noemt het gewoon de *junkyard*. Toen mijn geld begon op te raken en ik, uit nieuwsgierigheid en heimwee naar de loods in Obdam, een paar garage sales, kofferbakmarkten en veilingen was af geweest leek de suggestie van Bruce me opeens niet zo'n gek idee. Er vertrokken hier veel lui naar het zuiden en de oudjes die verspreid in de boerderijtjes in de heuvels achterbleven gingen snel na elkaar dood. Ik zette een paar keer een advertentie in de *Lenfield News* en langzamerhand begon het te lopen. Iemand scheen mijn adres op het internet gezet te hebben zodat er niet alleen mensen uit de omgeving op afkwamen, maar ook antiekjagers uit Antigonish, Pictou en zelfs een paar uit Halifax.

De loods was vroeger van een boer geweest die er zijn tractors in gestald had. Hij was niet zo groot als de loods in Obdam, maar voor mijn handel groot genoeg.

Ik haalde mijn sleutelbos tevoorschijn en maakte het hangslot open. In de loods hing een zwaar, stoffig licht. We baanden ons een weg tussen de opgestapelde spullen.

Bruce kon er hele middagen zoekbrengen. Waar hij precies van leefde had hij me nooit verteld, maar verhalen in Sandy's winkel dat hij clandestien stookte ontkende hij niet. De dichtstbijzijnde drankwinkel was in Lenfield, altijd nog zo'n veertig kilometer. Behalve met drank stoken hield Bruce zich bezig beelden te maken uit afval dat hij langs de kust vond en van rommel die hij bij mij in de loods opscharrelde. Vorige maand had hij een ouderwetse schemerlamp met een beschilderde kap gekocht. Op de kap stond een of andere historische zeeslag afgebeeld. Die lamp had hij bovenop een hoop met sisaltouw samengebonden wrakhout gemonteerd. Hij had er een rode lamp in gedraaid. Als je de stekker in het stopcontact stak gaf hij een gedempt rozig licht. Firehouse noemde hij het ding.

In de zomer werden er in de kustplaatsjes *artists rally's* gehouden, een soort kunstveilingen voor toeristen, waar houtsnijwerk, meest beren en rendieren, en aardewerk werd verkocht. Bruce had er ook een stalletje en zo nu en dan verkocht hij zo'n raar geval van hem. 'Als je maar volhoudt dat het kunst is,' had hij lachend tegen mij gezegd.

Hij zag er ook wel een beetje uit als een kunstenaar met zijn ongekamde haren en dikke schipperstruien. Soms droeg hij een vettige leren hoed die hij achterop zijn hoofd plantte. Met zijn platte brede neus waarvan de poriën zwarte gaatjes leken zag hij er niet als een doorsnee Canadees uit. 'Mijn voorgeslacht moet uit Australië of Nieuw-Zeeland stammen,' had hij een keer tegen me gezegd. 'Zo'n neus hebben alleen Maori's.' Thuis had hij een paar boeken over de Maori's. Hij kon er urenlang over vertellen. Misschien was dat wel zijn grootste gave: verhalen vertellen. Tracy hing aan Bruce' lippen als hij op bezoek kwam.

Eerder dan ik verwacht had vond ik de wringer verscholen onder een bedspiraal. Bruce nam het ding van mij aan, draaide de twee rollen bedachtzaam rond en bekeek de barsten in het hout.

'Wat ga je ermee doen?' vroeg ik.

'Kom maar mee,' zei hij. 'Dan zal ik het je laten zien.'

Ik aarzelde. Als je met Bruce meeging kwam je de eerste uren niet van hem af.

'Kom,' zei hij, 'Tracy is nu toch weg.'

5

Bruce Grady woonde in een kleine boerderij op een hellend stuk grasland dat abrupt werd afgekapt door de rotswand waartegen zo'n twintig meter dieper de golven van de Atlantische Oceaan tegenaan sloegen. De houten boerderij had een grote kamer waar ook zijn bed stond en een keuken met een fornuis dat op briketten gestookt werd. In de schuur ernaast was zijn stokerij met twee glanzende koperen ketels waar overal slangetjes uit kwamen, die in houten vaten verdwenen. Her en der hingen thermometers. In een rek langs de wand opgestapeld de gebruikte flessen waarin hij zijn drank verkocht. Als je bij Bruce aan tafel zat stond er ogenblikkelijk een glas met een van zijn brouwsels voor je. Ze waren lang niet allemaal lekker, maar wel altijd sterk. Lager dan veertig procent ging hij niet. Dat was voor dames.

Zijn kunstwerken stonden uitgestald in wat eens een schapenstal was geweest. Aan de zeekant misten twee planken.

'Wat ga je ermee doen?'

Hij wees op een naaimachine in de hoek van de schuur, vlak naast het enige raam.

'Ik ga een huishoudbeeld maken,' zei hij, 'een ode aan de vrouw. Uit de naaimachine komen twee bezemstelen. Daar spijker ik een stoffer en blik tegenaan. Bovenop de stelen monteer ik deze wringer waar ik dan zo'n klassiek gele stofdoek in draai, als een vlag. Een soort noodkreet.'

Ik keek hem zeker een beetje uitdrukkingsloos aan want hij haastte zich te verzekeren dat Tracy het een goed idee had gevonden. Hij vroeg nog een keer waarom ze zo onverwacht vertrokken was.

'Ze is op zoek,' zei ik. 'Ergens moest een plek zijn waar ze zich thuis zou voelen. Dat heeft ze nog niet zo lang geleden tegen mij gezegd. En die plek was kennelijk niet hier, niet bij ons.'

We liepen terug naar de boerderij.

'Het geluk is daar waar men niet is,' zei Bruce. 'Dat is een uitspraak van Goethe. Ik bedoel, het maakt niet uit waar je bent. Of je nu thuis blijft of de hele aardkloot afreist. Overal draag je je kop met je mee.'

Zoals gezegd, Bruce was een filosoof.

We zaten voor het raam in de keuken. Tussen de dubbele beglazing kleefden dode vliegen. Achter ons stortte een briket in het fornuis ritselend in elkaar. Bruce schonk in.

'Dit komt in de buurt van calvados,' zei hij.

Omdat ik nog nooit calvados had geproefd, knikte ik bevestigend. De drank brandde door mijn strottenhoofd mijn maag in.

'Ik heb ooit ook eens zo'n jonge meid gehad,' zei hij.

'Zeg, je denkt toch niet... Tracy kon mijn kleindochter zijn.'

Hij wuifde mijn protest met een van zijn grote handen weg.

'Ze was achttien,' zei hij, 'ik veertig. Ze wilde schrijfster worden. En nu was ze met mij meegegaan om levenservaring op te doen. Nou, die heb ik haar gegeven.'

Hij lachte.

'In die tijd boerde ik hier nog zo'n beetje. Ik liet haar

de hele dag werken. Niet alleen in huis, maar ook buiten. Schoffelen, grasmaaien, spitten. 's Avonds klaagde ze over pijn in haar rug, dat ze te moe was om te schrijven. Patty heette ze, Patty Engle. Ze kwam uit Toronto. Overal in huis lagen haar papieren. Allemaal aanzetten voor die grote roman die ze waarschijnlijk nooit geschreven heeft. Net als Tracy vertrok ze op een dag. "Heb je nu genoeg levenservaring opgedaan?" vroeg ik. Ze gaf geen antwoord. Ach ja,' zei hij en schonk de glaasjes nog een keer vol, 'mensen komen en gaan. Het is alweer twintig jaar geleden.'

'Dagen, maanden, jaren,' zei ik.

Bruce trok zijn wenkbrauwen op.

'Een psalm.'

'Laten we de godsdienst erbuiten laten,' zei hij en wees naar buiten. 'Ik heb genoeg aan de natuur.'

'De natuur zegt anders niets terug.'

'God soms wel?' Hij zweeg even. 'Je moet ertegen kunnen,' zei hij toen, 'tegen het alleen zijn bedoel ik.'

'Je draagt altijd mensen met je mee.'

Dat vond Bruce zo'n interessante gedachte dat hij de glaasjes nog eens vulde met zijn zelfgemaakte calvados.

'Vage beelden, zonder geluid,' zei hij, 'ook wel herinneringen genaamd. Bedoel je die soms?'

'En stemmen,' zei ik, 'stemmen ook. Als ik in bed lig en het stil is buiten kan ik ze oproepen. Of ze roepen mij want het lijkt buiten mij om te gaan.'

'Dat is wat de Maori's de stemmen van hun voorvaderen noemen.'

'Het zijn mijn voorvaderen niet,' zei ik, 'maar mensen die ik goed gekend heb. Mijn vader, mijn moeder, mijn vrouw. Vooral mijn vrouw.'

Bruce knikte. Hij wist van het ongeluk.

'En Harry,' vroeg hij, 'je zoon?'

'Die niet, zei ik, 'wel mijn kleinzoon, Martijn. Maar het gekke is dat ik alleen zijn stem kan horen van toen hij vijf, zes jaar was. Hoog en schel. Ik kan mij niet herinneren hoe hij nu praat.'

'Je eigen stem kun je niet echt horen,' zei Bruce. 'Niet zoals hij is. Anderen weten hoe je klinkt, zelf hoor je iets anders, een stem van binnenuit. De mens blijft zichzelf een raadsel. Ik ben opgehouden erover na te denken.'

'Ik wou dat ik dat kon.'

'Ik herinner me Harry's stem anders nog heel goed,' zei Bruce. 'Een beetje monotoon, kort en krachtig alsof hij achter ieder woord een punt zette. Staccato, noem je dat niet zo? Alsof hij iets aan iemand dicteerde.'

'Zelfverzekerd. Ja, dat was hij. Tenminste, zo leek het.'

'Je mocht hem niet?'

'We begrepen elkaar slecht,' zei ik, 'dat is niet hetzelfde. Hij verkocht lege huizen, ik verkocht wat er uit huizen kwam, wat mensen daar in de loop van hun leven in verzameld hadden. Hij had het over casco's en vierkante meters, ik over al de meubelstukken en gebruiksvoorwerpen waarmee mensen hun huizen hadden gevuld en die ik in mijn loods opsloeg. Voor hem waren dat dode dingen, resten van leven. Rotzooi noemde hij het. Pa met zijn oude troep. Hij kon nergens doorheen kijken.'

'Wat jij te veel hebt, heeft hij te weinig,' zei Bruce.

Ik hield mijn hand boven mijn glas. Ik moest nog terug.

'Hoor je nog wel eens van hem?'

'Zijn vrouw heeft me een paar keer geschreven, Sandra. Dat ze Harry vergeven had. En wanneer ik weer naar huis kwam.'

'En?'

'Het geluk is daar waar men niet is. Goethe,' zei ik.

'Goethe of iemand anders,' zei Bruce. 'Ik ben niet zo goed in het onthouden van namen.'

Het was half vijf en de schemering was al begonnen. Terwijl ik de timberweg afliep hoorde ik in de verte de zee. Na een kwartier stierf het geluid weg, werd overgenomen door het aanzwellende en weer afnemende geruis dat boven mij door de boomtoppen trok. Overal langs de weg lagen stapels met rode menie gemerkte dennenstammen. Maar de tijd van de motorzagen en bijlen was voorbij. Over een maand kon hier geen vrachtwagen meer door. Dan was het bos voor de winter gesloten. Ik voelde de drank in mijn benen zakken. Maar mijn hoofd was licht, licht en leeg. Ik glimlachte. Het geluk is daar waar men niet is, behalve met wat drank op. Het leek alsof de dennenstammen in de opstijgende duisternis steeds dichter naar elkaar toe kropen.

6

Van 13 tot 23 mei 1999. Geen enkele notitie. Behalve dan het in de agenda gedrukte woordje boven de dertiende mei: hemelvaartsdag. Laten we de godsdienst erbuiten laten. Nu weet ik dat ik die tijd op de intensive care van het ziekenhuis in Alkmaar lag.

'Kan het dat ik me het ongeluk later weer zal herinneren, dat het me opeens te binnen zal schieten?' De arts, een jongeman met rood haar en een modieuze bril, had zijn hoofd geschud. 'U hebt vrijwel meteen het bewustzijn verloren.' Vreemde uitdrukking eigenlijk. Je verliest het niet, het trekt zich alleen maar tijdelijk terug. Tien dagen. Later heb ik Harry er eindeloos over uitgevraagd. Hij had haar moeten identificeren in het mortuarium van het ziekenhuis. Het was verschrikkelijk. 'Wees maar blij dat je dat niet gezien hebt,' zei hij. Hij begreep niet hoe belangrijk dat voor mij geweest zou zijn.

De eerste dagen dat ik thuis was heb ik nog niets opgeschreven. Dat kwam pas na het bezoek aan Van Berkel, die Harry nog op de wereld gezet heeft. De aantekening dateert van 13 juli 1999. 'Alles uit handen geslagen.' Verderop een paar zinnen, sommige niet afgemaakt, alsof ik halverwege het schrijven de moed verloor om verder te gaan.

De eerste maand at ik bijna dagelijks bij Sandra en Harry. Martijn ging zo gauw hij de kans kreeg naar zijn kamer, wilde geen getuige zijn van het verdriet van zijn opa. Sandra probeerde Martijn op woensdagmiddagen naar mij toe te sturen, maar de jongen wilde niet. Niet meer. 'Laat maar,' zei ik, 'hij is nog te jong om ermee om te gaan.' Sandra vond dat ik goed moest eten, al had ik geen trek. 'Verwaarloos jezelf niet,' zei ze. Ik deed wat ze zei. En Harry zweeg. Hij ging niet van tafel af, zoals Martijn, maar aanwezig was hij ook niet. De tijd heelt alle wonden, zo dacht Harry erover. Dan werd Sandra kwaad. Nu begrijp ik waarom hij daar zo zwijgend zat. We hadden niets in de gaten, Sandra en ik. Hoe zouden we ook? Veertien dagen later was hij weg.

17 juli. 'Sandra heeft gebeld. Harry niet thuisgekomen.' Ik ben de dag erna naar hun huis in Alkmaar gereden. Ze had zijn werk gebeld. Hij was om de gewone tijd van kantoor vertrokken. Een collega had hem in zijn auto zien stappen. 'Misschien is het bij een klant uitgelopen,' stelde ik haar gerust. 'Of hij staat ergens met pech. Hij komt heus wel thuis.' Maar hij kwam dus niet thuis.

7

Ik heb hier een aantal recente foto's van Harry. De bewuste pasfoto, maar ook twee andere. Om ze niet kwijt te raken heb ik ze in een fotoalbum gestoken dat met een inboedel is meegekomen, gevonden in een licht beschadigde ladekast. Bruce herkende op de foto's het kustplaatsje Canso waar de familie van wie de inboedel geweest was regelmatig op vakantie ging. Je ziet de vader en de moeder ouder worden, de kinderen groter, tegen eenzelfde achtergrond van rotsrichels, strand en zee met zijn steeds anders gestolde branding. Van het dagelijks leven van deze familie in het album geen spoor. Alsof ze altijd op vakantie waren, jaar in, jaar uit. Ik opperde dat ze misschien in Canso hadden gewoond, maar Bruce schudde zijn hoofd. Mensen die ergens wonen, op een vaste plek, kijken anders, gerichter, ze hebben een doel voor ogen. Deze mensen kijken met een vakantieblik. Hun ogen hoeven zich nergens aan te hechten omdat ze straks weer vertrekken.

Ze zitten op een grote badhanddoek op het strandje. De man in zijn donkere pak heeft zijn broekspijpen opgestroopt zodat zijn sokophouders te zien zijn. De vrouw leunt op haar gespreide handen naar achteren, haar gezicht met gesloten ogen in de richting van de zon. Ze zien er weerloos uit. Plotseling overvalt mij het kwellende besef dat gefotografeerde mensen nooit kunnen zien wat wij zien: hun toekomst.

Middenin het album houdt de fotoserie op. Gingen de kinderen niet meer mee – een jongetje gewapend met schepnet en emmer, een meisje met stijve vlechten en een gestreepte strandbroek tot over de knie – of gebeurde er iets anders dat de gewoonte van die jaarlijkse vakantie in Canso doorbrak?

En dan de foto's van Harry. Eerst die pasfoto. Hoog voorhoofd, ernstige bruine ogen en een scherpe kin. Vastberaden blik. Iemand die weet wat hij wil. Op de twee andere staat hij met zijn gezin. Op de ene heeft hij zijn arm heel lichtjes om Sandra's blote schouders gelegd, alsof hij bang is haar te beschadigen. Martijn kijkt opzij, naar iets buiten het zicht van de camera. Sandra. Een grasgroene, mouwloze jurk met zwarte ceintuur. Zij is het middelpunt van het gezin. Ze staan in de tuin van hun huis in Alkmaar. En opeens herinner ik mij wie die foto heeft gemaakt: Geesje. Op de andere foto staat Martijn niet. Die is van voor zijn tijd. Sandra kijkt naar Harry, een bewonderende blik in haar blauwe ogen. Hij is haar man en daar is ze trots op. Dat kun je zien.

Ik bekijk de foto die Geesje gemaakt heeft nog eens. En nu zie ik dat Sandra haar lichte glimlach, een nauwelijks merkbaar krullen van haar lippen, tot Geesje richt, die daar vlakbij het tuinhekje staat en de camera onhandig voor haar rechteroog houdt. En ik ben degene buiten beeld die zich dit herinnert.

Ze belden vaak met elkaar. Geesje paste regelmatig op Martijn als Harry en Sandra uit wilden, naar een restaurant of naar de film. 'Ik beschouw haar meer als mijn dochter dan als mijn schoondochter,' had Geesje wel eens tegen mij gezegd. Toen Geesje dood was vonden Sandra en ik elkaar in het verdriet. Harry ging nooit mee naar het kerkhof; geen tijd. We lieten hem maar. Tot de zeventiende juli. De twintigste hebben we de politie gebeld.

8

Het was alsof alles opnieuw begon. Hoewel de rechercheur die bij Sandra thuiskwam totaal niet leek op politieman Broks met zijn melkboerenhondenhaar en bezwete voorhoofd, moest ik toch steeds aan hem denken. Broks vertelde mij dat zij mij bloed hadden afgenomen toen ik in coma in het ziekenhuis lag.

'We moesten weten of u gedronken had,' zei hij met een verontschuldigend lachje van onder zijn snor. Het sporenonderzoek op het wegdek had ook niets opgeleverd. 'U moet die nacht geschrokken zijn van iets, misschien een overstekende hond of een kat.'

Ik schudde mijn hoofd. 'Daar herinner ik me niets van.'

'U weet het niet meer,' zei Broks en sloeg zijn opschrijfboekje dicht. 'Toch moet er iets geweest zijn. Iets.'

De rechercheur in burger heette Dalstra. Hij was jong, blond en lang. Spijkerpak en wit T-shirt. Een beetje een slungelachtige verschijning, helemaal geen politieman. Maar je kunt je vergissen. Hij stelde vragen. Sandra friemelde met haar vingers aan de franje van het tafelkleed. De rechercheur vroeg naar het kenteken van Harry's auto en schreef het op. Was hij de laatste tijd nerveus of verward geweest, had hij geldzorgen wellicht, schulden?

Sandra schudde haar hoofd. 'Hij is een gesloten iemand,' zei ze. 'Zelfs als hij geldzorgen zou hebben zou hij mij dat niet vertellen.'

'Stille wateren hebben diepe gronden,' zei rechercheur Dalstra. Hij stond op. 'We vinden hem wel,' zei hij en knikte geruststellend naar Sandra die haar bleke gezicht naar hem ophief. 'Maakt u zich voorlopig maar geen zorgen. We hebben dit eerder bij de hand gehad. De meesten keren na een tijdje gewoon terug. Ondertussen gaan wij naar zijn auto op zoek.'

'Ik begrijp het niet,' zei Sandra toen ze de rechercheur had uitgelaten. 'Ik begrijp het gewoon niet. Hij was altijd zo, zo punctueel.' Ja, dat zei ze, punctueel. 'Als hij maar geen ongeluk heeft gehad. Daar ben ik nog het bangste voor.'

Daar had de politie ook al aan gedacht. Toen ze de drieëntwintigste opbelden dat ze Harry's auto in de buurt van Hoofddorp hadden teruggevonden, hadden ze alle ziekenhuizen in de omtrek al gecheckt. De dagen erna spraken zij met collega's van Harry op het makelaarskantoor. Of hij wellicht vijanden had, verwikkeld was in een transactie waar misschien criminelen bij betrokken waren. Het was bekend dat criminelen tegenwoordig veel interesse hadden voor onroerend goed. Maar daar was volgens de baas van het makelaarskantoor geen sprake van.

Toen Dalstra een paar dagen later opnieuw langskwam, had hij naar Harry's paspoort gevraagd.

'Dat ligt samen met mijn paspoort in de bovenste la van zijn bureau,' zei Sandra.

Daar lag het dus niet meer.

'Misschien is hij naar het buitenland,' zei Dalstra.

'Naar het buitenland?' vroeg Sandra. 'Hoezo naar het buitenland?'

Dalstra trok zijn schouders op en sloeg zijn lange benen over elkaar.

'Dat komt voor,' zei hij op de toon van een ervaren politieman, een beetje vermoeid, routineus. 'Mensen die plotseling verdwijnen, ergens anders een nieuw leven willen beginnen.'

'Een nieuw leven?' Sandra klonk verontwaardigd.

'U zei dat uw man een erg gesloten iemand is,' zei Dalstra.

'Dat wel,' zei ze, 'maar zoiets...'

'Heeft u zijn bankafschriften gecontroleerd?' vroeg de rechercheur.

'Die liggen rechts op zijn bureau,' zei Sandra. 'Hij regelt altijd alle geldzaken.'

Dalstra drong erop aan dat zij die afschriften zou openmaken, meteen. Zo kwamen ze erachter dat hij op 15 juli dertigduizend gulden van zijn spaarrekening had opgenomen. De rechercheur knikte. Zo ging het meestal. 'Dertigduizend gulden,' zei hij. 'Het hangt ervan af waar hij heen is, maar vroeg of laat is dat geld op en zal hij nieuw geld moeten opnemen. Houdt u daarom de creditcardafschrijvingen goed in de gaten en belt u meteen als er iets is afgeboekt.'

'En in de tussentijd?' vroeg ik. 'Wat doen jullie in de tussentijd?'

Dalstra hief zijn smalle handen in een afwerend gebaar in mijn richting, alsof ik te hard van stapel liep. Hij sloeg een nieuwe bladzij in zijn aantekenboekje op. 'We zullen zijn signalement en foto via Interpol verspreiden,' zei hij.

Hij vroeg Sandra een zo nauwkeurig mogelijk signalement van haar man te geven. Wat hij de dag van zijn verdwijning aan had gehad. Ze moest lang nadenken.

Op dat moment ging ik weg. Het zwarte gat. Ik reed naar huis en begon achter het huis een eikenstam op de bok in vieren te zagen en kliefde de stukken in kleinere blokken.

Later belde Sandra mij in tranen op. Ze had Dalstra een recente pasfoto van Harry moeten meegeven.

'Wat moet ik nu doen Stijn,' snikte ze.

'Afwachten,' zei ik, 'vertrouwen hebben. Hij moet ergens zijn.'

Ik klonk verdomme net als Dalstra.

Deze pasfoto werd door de politie verspreid. Sandra had er een heel mapje van. Harry had ze het jaar ervoor laten maken. Hij ziet er niet uit als iemand die in de war is, gekke dingen zou kunnen doen.

9

Buiten heeft het weer de voorspelling van vanmorgen ingehaald. Het sneeuwt en de toppen van de dennenbomen zwiepen in de opstekende wind. Dikke vlokken trekken als een voorbijjagend gordijn langs de ramen. Voorlopig kan ik het huis niet uit. In de auto zie je geen hand voor ogen. Maar ik heb net als alle andere bewoners van dit gebied geleerd een voorraad blikvoedsel in huis te halen. Bruce vindt het vreemd dat ik geen telefoon neem. 'Ze weten zo wel waar ik zit,' zei ik tegen hem. Als er iets is schrijven ze wel. Het postautootje zou er trouwens in dit weer niet doorkomen. Bruce is mijn enige naaste buur, de andere huizen en boerderijen liggen verder de heuvels in.

Ik ken de mensen door mijn werk en door mijn bezoeken aan Lenfield, de enige plaats van betekenis hier in de buurt, al stelt die ook niet veel voor. Maar er is een café, een ijzerwinkel, een bank, een Indiaas restaurant en natuurlijk een hamburgertent en een benzinestation. Ze rijden daar nog in van die lange Studebakers met staartstukken, marineblauw of mosterdgeel met sierstrips van fineer. Langzaam, met een laag ronkende motor glijden ze de paar straten die Lenfield telt op en neer. Het gehucht (want dat is het voor Nederlandse begrippen) wordt van alle kanten ingesloten door dennenbossen. Veel mensen werken in de houtkap.

Je moet ertegen kunnen, tegen het alleen zijn, had Bruce gezegd.

En mijn antwoord: is een mens wel ooit alleen?

Nu is Tracy ook een herinnering, een verzameling losse flarden.

Hoe ze opeens als een bezetene met haar handen door haar korte zwarte haar kon woelen, minutenlang een van haar gympen op haar grote teen balanceerde tot ik zei dat ze daarmee op moest houden, aandachtig voorovergebogen haar gezicht kon bestuderen in de scheerspiegel boven het fonteintje in de keuken (kijken of ze al rimpels kreeg). Hoe ze aan de keukentafel zittend haar hoofd in haar handen steunde en mij onderzoekend aan kon kijken.

Haar gezicht. Het leek alsof ze niet altijd meester over haar eigen gelaatstrekken was. Haar wenkbrauwen bewogen onafhankelijk van elkaar en als ze lachte hoefde dat niet te betekenen dat beide helften van haar gezicht aan de vrolijkheid deelnamen. Ze had groene ogen, kuiltjes in haar wangen en een eigenlijk nogal onbeduidend neusje. Ze likte vaak met haar tong langs haar lippen. Soms vloeide plotseling alle expressie uit haar gezicht weg, vaak middenin een gesprek. Alles wat ze zei begeleidde ze met precieze gebaren van haar magere handen en vingers. Knokige enkels en knieschijven. Behalve haar borsten zat er geen gram vet aan haar lichaam.

Dit is een beschrijving, een soort signalement, maar ik merk dat ik moeite heb haar voor mij te zien. Hoe vaak hebben we hier niet aan de keukentafel tegenover elkaar gezeten? Ik vertelde haar over Geesje, alles wat mij te binnen schoot, hoe chaotisch ook.

'Ik vergeet het wel weer,' had ze me opgeruimd toegevoegd toen ze daar met haar donkerblauwe rugzak in de kamer stond en afscheid nam. Maar ik wil niets vergeten.

Buiten wordt het donker. Toch steek ik het licht niet aan. Ik loop de trap op, ga Tracy's kamer binnen en doe het licht aan. Sinds ze vertrokken is ben ik daar niet meer geweest.

In de openstaande lade onderin de linnenkast heeft ze een wit bh'tje met gerafelde randen laten liggen. Ik herinner mij haar borsten als ze ongegeneerd in haar blootje uit de douche kwam en over de gang liep: rond en stevig met donkerbruine cirkeltjes rond de tepels. Ik denk aan haar borsten, maar ik zie ze niet echt. Alle herinnering is gezichtsbedrog, een licht vliesje van innerlijke beelden dat breekt zodra je er de volle aandacht op richt.

Ik kijk de kamer rond. Alles heeft ze meegenomen. De dekens en lakens heeft ze opgevouwen op een stoel gelegd. Ik ga voor het raam staan. Ik weet dat op dit moment duizenden sneeuwvlokken naar beneden dwarrelen, maar zien kan ik ze niet. Niet voor niets heeft iedereen hier een ladder op het dak liggen. De sneeuw kan soms zo hoog komen dat je de volgende ochtend niet meer door de deur naar buiten kan. Ik draai aan de knop van de transistorradio naast het bed, zet hem dan weer uit.

10

Begin oktober was het en twee etmalen nachtvorst hadden de esdoorns in vuur en vlam gezet; de linden- en berkenbladeren verkleurden tot een oplichtend goudgeel alsof ieder blad nog één keer acte de présence wilde geven voordat herfststormen ze van de takken zouden rukken. 'Kom,' zei ik tegen Tracy, 'we pakken de auto en gaan de herfst bewonderen.' Tracy zag niet veel in de expeditie. Ze hield niet van de herfst, zei ze, het deed haar aan de dood denken. Ze trok een heel wijs en ernstig gezicht, ik moest erom lachen. 'Zo'n herfst kennen we bij ons niet,' zei ik, 'ze noemen het hier ook geen herfst, maar Indian summer. 'Nazomer.' '

We reden naar Canso.

'Waarom naar Canso?' vroeg ze.

'Ik ben er nog nooit geweest,' zei ik. 'Ik ken het alleen van foto's.'

De weg naar Canso liep grotendeels langs de kust. Tracy keek naar de zee.

'Dat is ook zoiets,' zei ze, naar het glinsterend golvende water wijzend, 'zonder schepen is er niets aan.'

'Zonder zee geen schepen,' zei ik.

'Maar toch,' zei ze, 'het verandert nooit, zoals alles hier.'

'Wil je hier weg?' vroeg ik.

Ze strekte haar handen voor zich uit en keek naar haar donkerrood gelakte nagels.

'Ik weet het niet,' zei ze. 'Ik kan toch niet eeuwig op jouw zak blijven teren.'

'Ik verdien genoeg voor ons tweeën.'

Ze zou dan wel mijn kleindochter kunnen zijn, ik wilde niet dat ze wegging, al was het alleen maar omdat bepaalde gebaren, het geluid waarmee ze haar neus ophaalde of de manier waarop ze liep, haar voeten een beetje naar buiten gedraaid, mij op de een of andere manier aan Geesje deden denken.

Canso kondigde zich aan door een paar verlaten betonnen visfabrieken met een rij ingeslagen ramen. Nog niet zo lang geleden was Canso een welvarend vissersplaatsje geweest, maar een ongeluk met een tanker had daar abrupt een eind aan gemaakt. De huizen maakten een verwaarloosde indruk. Verveloze gevels, loshangende daklijsten, etalages waaraan in jaren niets gewijzigd was; een rij schoenen in een schoenenwinkel zat onder een dikke laag stof.

Ik reed naar de haven en parkeerde de auto bij het enige restaurant dat uiteraard Seaview heette. Vanuit de erker hadden we uitzicht op een klein zandstrand. Ik herkende het patroon van de rotsrand erachter van de foto's en vertelde Tracy over het album, over de familie die ieder jaar naar Canso op vakantie ging. 'Daar zaten ze,' zei ik wijzend. 'Ik zie ze voor me en toch heb ik ze nooit gekend.' Ze luisterde maar half.

En dan gebeurt het. Als ik opnieuw naar de gekartelde rotsrand achter het strand kijk begint er iets te trillen op het lichtgele zand ervoor. In een licht dat nergens vandaan komt en nergens heen gaat verschijnen, als onder een onzichtbare glazen stolp, het jongetje met het schepnet en het emmertje en het meisje met haar stijve vlechten en gestreepte strandbroek. Een moment staren zij mij met een lege blik aan. Ik voel dat ze allebei dood zijn.

'Heb jij dat dan nooit als je foto's ziet van mensen die je niet kent, dat je je afvraagt hoe hun levens zijn verlopen, wat ze deden, hoe ze er nu uitzien, of ze überhaupt nog in leven zijn?'

'Je kunt je wel van alles in je hoofd halen,' zei ze. 'Het zijn toch alleen maar verzinsels, net zoals die junkboeken van Bruce en jou.'

'Het maakt de werkelijkheid gelaagder,' zei ik.

'Ik heb genoeg aan de oppervlakte,' zei ze en stak met een balorig gezicht een sigaret op.

Nee, dat tochtje naar Canso was beslist geen succes. De vlammende esdoorns op de heuvels, de ritselende gele berkenblaadjes waren niet aan haar besteed. Op de terugtocht zat ze zwijgend naast me. Ik had kunnen weten dat ze zou vertrekken.

11

Kriskras bladerend door de agenda van dit jaar kom ik keer op keer haar naam tegen. Tracy dit, Tracy dat. Ik kan niet ontkennen dat ik in de loop van de afgelopen maanden aan haar gehecht was geraakt. Ongeveer op de manier die Bruce bedoelde toen hij zei dat ik een hond moest nemen.

Zondag 2 juli. 'Tracy heeft haar haar groen geverfd.'

'Waarom niet,' zei ze. 'Elke keer als het zomer wordt laat ik mijn haar groen verven, net als de bomen.'

Ze had het in het benzinestation van Lenfield laten doen. 'In het benzinestation?' 'Ja, heb je dat bordje achter de toonbank nooit zien hangen? Achter de winkel is nog een ruimte en daar knipt Nelly Drabble. Meest chauffeurs natuurlijk, maar ook wel eens iemand anders.'

'En Nelly vond dat de gewoonste zaak van de wereld?'

'Jij moet ermee lopen,' zei ze, 'niet ik.'

Maandag 7 juli. 'Heb Tracy leren tollen.'

In een verveloos wandkastje dat op de vliering stond had ze een tol en een zweep gevonden. Het was een ouderwetse houten tol. De rode verf op het dakje (of noem je dat het hoedje?) was van ouderdom vaal geworden. Op het klinkerpad dat naar het ven loopt deed ik voor hoe ze moest tollen. Ik wikkelde het touwtje van de zweep in de bovengleuf van de tol, hield het uiteinde tussen duim en wijsvinger en wierp de tol in een krachtige beweging van mij af. Een eigenaardige gewaarwording. Een beweging uit mijn jeugd die met grote vanzelfsprekendheid in mijn vingers terugkeerde. Voorwaarts en meteen weer naar achteren. Het duurde even voor Tracy de slag te pakken had.

Dinsdag 11 juli. 'Gesprek over ouderdom.'

Ik weet niet meer of ik mij dit gesprek juist herinner. Waarom begon ze er over? Als het doel van het leven is te sterven waarom leeft een mens dan? Zo ongeveer luidde haar vraag. 'Kinderen die vragen worden overgeslagen,' probeerde ik mij er nog van af te maken, maar ze hield vol. Over levensvragen kon ze soms plotseling ijselijk serieus doen. Wat dat betreft was ze nog een puber. 'Het is een gegeven,' zei ik, 'je kunt er niets aan doen.' 'Hoe voelt dat dan,' wilde ze weten. 'Je veroudert aan de buitenkant, maar vanbinnen blijf je even oud als je je voelt.' Ze wilde weten hoe oud dat was. 'Twaalf, dertien,' zei ik. Daar moest ze om lachen. Toen trok ze plotseling weer dat serieuze gezicht, waarbij ze haar ogen altijd een beetje dichtkneep, alsof ze tegen de zon in keek. 'Soms voel ik me stokoud en dan weer denk ik dat ik jong zal sterven.' Nu was het mijn beurt om te lachen.

Maandag 17 juli. 'Tracy verveelt zich.'

'Verveel jij je nooit dan?' vroeg ze. 'Niet meer,' zei ik. 'Als kind kon ik me stierlijk vervelen. Dan zat ik in de keuken achter een boek of met mijn meccanodoos en plotseling overviel het me. Iedere verdere handeling leek zinloos. Nooit meer zou er iets gebeuren dat verandering in die toestand kon brengen. Ik keek om mij heen, naar de pan op het fornuis, naar het weerhuisje boven de keukendeur en het was alsof ik net zo levenloos geworden was als die dingen. Toch greep het leven me iedere keer weer bij de kladden en een moment later was ik mijn verveling vergeten en werd ik weer opgenomen in de wereld van gebeurtenissen.'

Ze schudde haar hoofd. 'Die verveling bedoel ik niet,' zei ze. 'Het is meer een gebrek aan richting. Ik dool maar wat rond. Je zou net zo goed ergens anders kunnen zijn, denk ik dan. Het zou geen verschil maken.' 'Je kunt toch gaan en staan waar je wilt,' opperde ik. 'Niemand houdt je tegen.' Maar dat was niet helemaal waar.

Ik had liever niet dat ze over weggaan dacht. Ik herinner me dat ze het een keer over New York had. Ze had een zwart-witfilm met Montgomery Clift op de tv gezien. Zelf ben ik nooit in New York geweest. 'Het is gek,' zei ik, 'ik ben er nooit geweest maar door al die films die in New York spelen heb ik het gevoel alsof ik de stad ken.' 'Miljoenen mensen om je heen,' zei ze, 'en niemand die je kent.' Dat leek haar een aantrekkelijk idee.

Woensdag 26 juli. 'Harry komt ter sprake.'

Ze had het anders nooit over hem. Ik herinner me dat we buiten op de veranda zaten en naar een biddende buizerd boven het bos keken. Plotseling stopte de vogel het klapperen van zijn vleugels, zeilde in een wijde bocht naar links en nam toen opnieuw zijn biddende positie in. Door de open deur achter ons klonk radiomuziek, iets klassieks dat ik kende maar niet thuis kon brengen. Ze steunde haar kin op haar opgetrokken knieën. 'Het gekke is,' zei ze, 'dat het mijn idee was om hem te smeren.

Maar toen we eenmaal in het vliegtuig zaten was ik bang. Van Harry weet ik het niet.'

'Harry vond dat hij zijn leven een andere wending moest geven,' zei ik. 'Dat idee wond hem op.'

'Dat is nu het verschil tussen Harry en mij,' zei ze. 'Hij had altijd een idee, een plan dat uitgevoerd moest worden. Toen we eenmaal in Canada waren deed ik precies wat hij zei. Hij leek nooit ergens aan te twijfelen. Het is prettig om in het gezelschap te zijn van iemand die zeker van zijn zaak is.'

Dinsdag 8 augustus. 'Tracy denkt een eland te hebben gezien.'

Ze had het bos in de directe omgeving goed leren kennen en kwam aanhollen met het nieuws. Bruce keek haar ongelovig aan. 'Midden overdag,' zei hij, 'dat kan haast niet. Of het moet een oud of ziek dier zijn geweest. Voor de schemering wagen ze zich niet aan de bosrand.' Tracy hield vol dat ze het dier echt gezien had. Het had wat aan de takken van een berk staan knabbelen en was toen bedaard weggelopen.

'Waarschijnlijk rook hij je,' zei Bruce. 'Zodra ze een mens ruiken. De mens is hun enige vijand. Er mag drie dagen per jaar op ze gejaagd worden. Daar doet iedereen uit de buurt die een geweer kan vasthouden aan mee. Maar elanden zijn slim. Slim en sterk. Als je een eland niet precies midden tussen zijn ogen raakt kan hij nog dagen leven. Ik heb nooit meegedaan, maar ik weet wel dat er vaak ongelukken mee gebeuren. Of ongelukken? De man van mevrouw Swan werd dood in het bos gevonden met een kogel in zijn kop. Hij zou onhandig met zijn geweer zijn omgesprongen, maar er werd gefluisterd dat de kogel van iemand anders afkomstig was, iemand die schulden had bij de Savings Bank waar meneer Swan de scepter zwaaide.'

Zaterdag 12 augustus. 'Ben ik voor Tracy onzichtbaar geworden?'

Geen idee waar dit naar verwijst.

Woensdag 23 augustus. 'Vrienden van de oude dans.'

Sommige mensen hebben de gewoonte te neuriën of de hele dag te fluiten. Het doet me altijd denken aan onze oude kat Abraham die toen hij doof werd de hele dag luid liep te miauwen om zo zijn plaats in de stille wereld waarin hij verkeerde voor zichzelf te markeren. Tracy heeft weer wat anders: zij danst als het maar even kan. 's Morgens vroeg, als ik nog in bed lig, zet zij beneden de radio aan. Dan hoor ik haar blote voeten bonzen op de planken vloer.

Soms probeerde zij mij in haar dans te betrekken. Ik dacht aan de danslessen die ik Geesje had gegeven, voelde weer haar blote voeten op mijn wreven en schudde mijn hoofd. 'Dansen is voor de jeugd,' zei ik tegen haar. Maar dat was niet helemaal waar.

Op een avond nam Bruce ons mee naar een dansavond van de Vrienden van de Oude Dans. Het was een heel oude vereniging die probeerde de klassieke Schotse en Ierse dansen van de eerste settlers hier in ere te houden. De dansavond vond plaats in een grote leegstaande schuur, ergens tussen Lenfield en Canso. Rond de schuur stonden kriskras auto's geparkeerd, personenauto's maar ook een stel pick-ups. In sommige auto's zaten mannen bij elkaar en gaven een fles door. Anderen stonden tegen de bumpers geleund te roken. Vanuit de schuur klonk vioolmuziek. Op het podium in de schuur speelden drie violisten, begeleid door een blozende, dikke man die een grote trom voor zijn buik had hangen waarop hij de maat van de muziek met doffe slagen markeerde. De dansers voor het podium waren vooral oudere mensen, boeren zo te zien, met gegroefde koppen. De vrouwen droegen hooggesloten linnen jurken en hadden allemaal smalle, samengeknepen monden. Er werd ernstig maar met grote overgave gedanst.

Bruce zei dat hij Tracy wel even zou leren hoe je de jig moet dansen. Het lijkt wel volksdansen, zei Tracy, een beetje misprijzend naar de oude dansers kijkend. Maar ze stak toch haar arm door die van Bruce.

Bruce bleek een bedreven danser die veel ruimte nodig had. Hij zwaaide woest met zijn grote handen om zich heen en veel paren weken bedeesd naar de rand van de dansvloer. Bruce hief zijn handen grijnzend boven zijn hoofd en Tracy wierp haar hoofd achterover. Ze hielden elkaar niet langer vast, maar dansten handenklappend om elkaar heen. Veel mensen hielden op met dansen en gingen, ritmisch meeklappend, naar het paar op de dansvloer staan kijken. 'Zorba,' riep Bruce, 'I am Zorba the Greek.' De dikke man met de trom legde er nog een schepje bovenop, voorzag de muziek van syncopen. Toen de muziek stopte dansten Tracy en Bruce nog even door. Even later stonden ze plotseling stil, keken elkaar aan alsof zij vreemden voor elkaar waren of ontwaakten uit een droom, en maakten een korte komische buiging naar elkaar. Aarzelend namen de Vrienden van de Oude Dans opnieuw bezit van de vloer.

Ik weet opeens weer wat ik de twaalfde augustus met die onzichtbaarheid bedoelde. Het was laat in de namiddag en ik stond op de gebarsten aarde voor de veranda. Mijn schaduw viel langgerekt tot aan de akkerrand voor mij uit toen Tracy naar buiten kwam, mijn schaduw zag, erop sprong en begon te hinkelen. Haar gympen ontlokten kleine stofwolkjes aan de droge aarde. Al hinkelend riep ze: kijk Collector, er komt stof uit je lijf. Op mijn schaduwkop neergekomen draaide ze zich met een sprongetje een halve slag om.

Woensdag 6 september. 'De ziekte van Tracy.'

'Je moeder heeft haar maandstonde,' placht Ate te zeggen. Ik verstond 'maanstonde'. Vanaf dat ogenblik dacht ik dat vrouwen in een bijzondere relatie tot de maan stonden.

Als Tracy ongesteld was trok ze zich op haar kamer terug. Dagenlang bleef ze in bed liggen. 'Waarom ga je niet naar een dokter als je er zo'n last van hebt,' zei ik wel eens, maar dan snauwde ze mij af. 'Jullie mannen hebben het maar gemakkelijk,' zei ze dan.

Op een middag betrapte ik haar toen ze aan de keukentafel in mijn agenda zat te lezen. Ik trok hem uit haar handen.

'Wat heeft dit te betekenen?' zei ze en tikte met een paarsgelakte nagel op een bladzij. 'Tracy dit, Tracy dat. Ben je soms bezig een boek over mij te schrijven?'

'Het zijn geheugensteuntjes,' zei ik, 'meer niet. Zo kan ik mij later herinneren wat er gebeurd is. Als ik dat niet doe lijken alle dagen op elkaar.'

'De ziekte van Tracy,' zei ze spottend. 'Man, ik ben

helemaal nooit ziek. Misschien lijd jij wel aan de ziekte van Alzheimer.'

'Daar zou ik maar niet mee spotten,' zei ik.

II

1

Een enkele keer zeilt er een verdwaalde meeuw boven de bosrand. Als hij zich in zijn vlucht wentelt licht zijn buik een ogenblik oogverblindend wit op. Er is minder sneeuw gevallen dan ik verwacht had. Nu is de lucht hard en blauw, de boomtoppen buigen niet meer zo diep voor de wind. Als ik met een mok oploskoffie voor het raam zit hoor ik het geronk van een motor: de sneeuwploeg. De omroeper heeft het over een mistige dag. Voor het weer omslaat moet ik naar de landwinkel om wat verse groente en aardappels te halen. Bruce had gelijk, het was helemaal niet zo'n gek idee geweest van die Terence Wilder om op zolder een moestuin te beginnen. Tracy beweerde dat er in haar kamer een lucht van aarde hing, maar zelf heb ik die nooit geroken.

'Dikke mist,' zeg ik als ik de dorpswinkel binnen ga. Sandy moet lachen. Sandy met haar ronde gezicht en volle armen. Op de borstzak van haar blauwe winkeljas staat de naam van een Braziliaans koffiemerk, Santos. Haar man Simon draagt net een grote zak aanmaakhoutjes voor de oude mevrouw Clegg naar haar auto.

'Wacht maar af,' zegt Dan Nelson, die verderop een autowerkplaats heeft. 'Die jongens van het weerbericht zijn alleen een beetje achterlijk, dat is alles.'

'Of het weer is voorlijk,' zeg ik.

'Die is goed,' zegt Sandy, 'die zal ik onthouden. Voorlijk weer. Wat een voorlijk weertje is het weer vandaag.'

Opnieuw lacht ze en springen er rimpeltjes in haar straktrekkende wangen.

Terwijl ik twee kroppen sla en een zak aardappels pak en Sandy met behulp van een trapleer een blik bonensoep voor mij van een schap pakt, zeg ik: 'Weet je die oude boer die vroeger in mijn huis heeft gewoond, Terence Wilder, dat die een moestuin op de bovenverdieping had?'

'Oude Wilder. Ja, Terence Wilder,' zegt Simon die net weer binnenkomt. Hij doet hem na met een diepe bromstem: ' "Ik heb nooit niemand nodig gehad. Nu niet en nooit niet." En dan spuugde hij zo'n bruine kwat vlak voor je voeten op de grond want hij pruimde als een bezetene.' Simon liet zijn kaken even snel rondmalen. 'Nee, als het aan Wilder had gelegen dan hadden we hier de winkel wel kunnen sluiten.'

'Hij heeft nog in de Tweede Wereldoorlog gediend,' zegt Sandy. 'Hij was altijd bang dat het weer oorlog zou worden. Hij sprak over zijn huis alsof het een vesting was.'

'Hij had ook zijn oude Garrard-geweer nog,' zegt Simon. 'Nooit ingeleverd. Stond in een hoek van zijn woonkamer. Als er iemand die hij niet kende zijn erf opkwam, ging hij je met dat geweer in de aanslag tegemoet.'

'Ach, die Terence,' zegt Sandy terwijl ze het blik soep en een pak lucifers in een bruine papieren zak laat glijden, 'hij kwam hier alleen voor zijn pruimtabak. Tot hij een hersenbloeding kreeg.'

'Je hebt geboft,' zegt Simon tegen mij. 'Na Terence heeft er een echtpaar in zijn huis gewoond dat de hele bovenverdieping heeft leeggeruimd.'

'Je ziet er niets meer van,' zeg ik. 'Alleen beweerde Tracy...'

Ik breek mijn zin af. Sandy kijkt mij vragend aan.

Ik gris mijn boodschappen bij elkaar en loop naar de deur. Ik heb geen zin om over Tracy te praten.

Ik zet de bruine zakken achterin de laadbak en rijd een eindje de weg af om bij Lewis Fordham benzine te halen. Als ik de oprit van het pompstation in draai zie ik Bruce' pick-up staan.

'Bruce is binnen,' zegt Lewis, 'een kop van mijn overheerlijke koffie drinken.'

Ik lach. Lewis en zijn koffieautomaat, veruit de smerigste koffie in de wijde omtrek.

'Gooi maar vol,' zeg ik tegen hem en ga het kleine pompstation binnen.

Bruce neemt net een slok uit een kartonnen bekertje.

'Lekker?'

'Je kan net zo goed meteen zo'n blik olie naar binnen slaan,' zegt hij wijzend op de piramide van opgestapelde goudkleurige blikken naast de kassa. 'We moeten onze junkboeken weer eens bijwerken, Stijn,' zegt hij.

'Vandaag niet,' zeg ik, 'ik moet nog langs een garage sale bij de Wenners. Ze gaan terug naar Europa.'

2

Toen ik hier eind maart kwam en Bruce hoorde wat ik in Nederland had gedaan stelde hij na een paar maanden voor dat ik hier ook zo'n handel zou beginnen. Hij wist wel een geschikte loods.

'Je moet wat ondernemen,' zei Bruce toen hij mijn aarzeling zag. 'Straks ben je door je geld heen en wat dan?'

Hij heeft me geholpen bij het opzetten van The Collector, het zetten van de eerste advertenties in de *Lenfield News*. Een snuffelparadijs voor liefhebbers van antiek. Dat was schromelijk overdreven, maar ik kwam er algauw achter dat de mensen hier er heel andere ideeën over antiek op na hielden. Formica tafeltjes uit de jaren vijftig werden betast alsof het Louis Seize was en een oude scheerkwast met een geribbeld handvat van wit celluloid waarmee hun vaders zich nog hadden ingezeept werd in deze tijd van elektrische scheerapparaten als een kostbaar kleinood ter hand genomen.

Net als in Obdam schreef ik alle ingekochte inboedels met alle spullen die daarbij hoorden in een schrift. Wat ik ervoor betaald had en van wie die dingen geweest waren. Dat laatste intrigeerde Bruce. Zo was hij op dat idee van die junkboeken gekomen.

Waarom ik dat deed, vroeg hij.

'Een gewoonte,' antwoordde ik. 'Of nee, je hebt mensen die graag willen weten waar de spullen die ze kopen vandaan komen.'

Nagelaten geschiedenissen, had Bruce peinzend gezegd.

Ik wist toen nog niet dat hij een filosoof was en nog minder dat hij zichzelf als kunstenaar beschouwde. Of in ieder geval zo nu en dan.

Bruce kende iedereen in de wijde omtrek. Bij een op zichzelf onbeduidend inboedeltje van een familie Baxter uit Port Felix hield hij mij een houten bestekbak voor.

'Kijk eens goed,' zei hij, 'wat zie je?'

'Messen, vorken, lepels,' zei ik.

Bruce schudde misprijzend zijn hoofd. 'Alleen de lepels zijn versleten, dof van het afwassen. Zackery en Seth hadden op laatst geen tanden meer in hun mond, aten alleen nog maar pap en soep.'

'Dat zie je omdat je het weet,' zei ik. 'Een ander ziet dat niet.'

'Als je het niet weet kun je het verzinnen,' zei hij. 'Ieder voorwerp draagt de sporen van zijn gebruiker. Een soort vingerafdrukken.'

Zo was hij op het idee gekomen van wat hij zijn junkboeken noemde. Iedere keer als ik een nieuwe inboedel kocht kwam hij langs om elk stuk te fotograferen. De foto's, voorzien van bijschriften, plakte hij in een album. Die bijschriften vormden een verhaal apart. Als hij een paar van zijn zelfgebrouwen borrels op had, vloeiden de verhalen moeiteloos uit zijn pen, of liever gezegd: uit zijn computer.

De kringen op een oude tafel vertelden het verhaal van een man met een oogafwijking die telkens net naast zijn glas schonk, de brandplekken aan de rand over zijn gewoonte zijn sigaar op de tafelrand te leggen in plaats van in de asbak. Een hoedenplank ontlokte hem het verhaal over de modellen hoeden en petten die hier in de wijde omtrek ooit gedragen werden. Een ontbrekende knop aan een ladekast groeide onder zijn handen uit tot een verhaal over een nooit meer geopende la waarin brieven lagen die de bewoners vergeten waren. Hij vertelde de inhoud van de brieven na alsof hij ze in zijn hand hield en voorlas. Het waren brieven over onheil en over het geploeter waarmee de mensen het hoofd boven water probeerden te houden.

'Alles moet bewaard worden,' zei hij, 'gekoesterd. Dit zijn de laatste getuigen van een verdwijnend leven.'

'Maar die verhalen van jou zijn pure verzinsels,' bracht ik daartegen in.

'Je mag de dingen niet in de steek laten,' zei hij. 'Ze hebben dienst gedaan, zwijgend en stil en dan komt het moment dat mensen ze alleen laten, wegdoen, zonder erbij na te denken. De dingen kunnen het niet helpen dat zij geen geheugen hebben. Daarom moet je ze er een geven.'

'Je bent een animist,' zei ik.

Hij glimlachte en knikte. Ja, misschien was hij dat wel. 'Het maakt de wereld rijker, gelaagder,' zei hij.

En ik moet zeggen: na een periode van scepsis begon ik te begrijpen wat hij bedoelde. Het maakte het leven inderdaad rijker als je de spullen in The Collector van een verhaal voorzag. En zo begon ik mee te doen, zelf suggesties te doen voor denkbeeldige geschiedenissen die de gebruiksvoorwerpen uit hun anonimiteit moesten verlossen en voorzien van een verleden dat bij hen paste.

'De mensen van wie de spullen geweest zijn hebben nooit iets opgeschreven en er is ook nooit iemand geweest die hun levens heeft opgetekend. Dit is alles wat er van hen over is.' Hij maakte met zijn armen een omvamend gebaar door de donkere loods. 'En een grafsteen op het kerkhof natuurlijk,' voegde hij eraan toe.

Zo kreeg iedere inboedel zijn eigen boek. Delen van die inboedels verdwenen natuurlijk weer door verkoop, maar dat gaf niet, zei Bruce. In onze boeken houden wij hen bij elkaar. Hij vergeleek zijn bezigheid wel eens met archeologie.

'De kennis van oude beschavingen hebben wij voor een groot deel te danken aan opgravingen en wat archeologen op grond van hun vondsten over verdwenen culturen hebben vastgesteld. Als de mensen er niet meer zijn moeten de voorwerpen verder het woord voor hen doen.'

'Maar wat jij opschrijft zijn toch niet meer dan verzinsels,' zei ik nog een keer.

'Een fantastische archeologie,' zei hij. 'Dat is toch mooi? Wat maakt het uit?'

'Je bedoelt dat het op den duur niet uitmaakt of iets waar gebeurd is of verzonnen?' Ik werd er zowaar zelf filosofisch van.

'Dat is een verschil dat alleen boekhouders maken,' zei hij.

3

Ik neem de kustweg. Het is nog steeds prachtig helder weer, al hangt er boven de horizon een nu nog met lichtstroken doorschoten deinend grijs gordijn van een uit zee aandrijvende mistbank. Maar omdat het niet hard meer waait zal het nog wel even duren voor we er middenin zitten.

Bij Grand Bay houd ik even stil. Beneden mij golft de grijze zee en breekt in schuimkoppen tegen de glimmende basaltblokken. Ik stap uit en loop naar de rand van de rotswand. Een paar meeuwen schuifelen in de rotsspleten hoog boven het opspattende water.

Hier was het, aan de ingang van de baai met zijn knipperende lichtboei, dat ik in mei iets zag wat ik niet begreep. Plotseling begon het water daar met een zilveren schittering te kolken. Meeuwen kwamen in horden aanzetten en stortten zich op die wild bewegende plek in zee. Toen pas begreep ik dat het daar van vissen of visjes moest wemelen. Even later zag ik ze spartelen in de bekken van de opvliegende meeuwen.

Sandy (of was het Simon?) vertelde mij later dat dat wel meer voorkwam. Enorme scholen makreel willen de baai inzwemmen tot de voorste zich realiseren dat daar geen uitweg naar open zee is, omkeren en zo op hun aanzwemmende soortgenoten botsen. Vandaar dat kolken. Het duurt nooit langer dan een halfuur, dan is alles weer rustig, zoals nu.

Het is alsof ik in de verte ijsbergen zie, met een zwak flikkerende schittering. Maar dat kan ook verbeelding zijn, een spel van de opkomende mist en mijn fantasie.

Ik stap weer in en ga op weg naar de Wenners die hier niet ver vandaan wonen.

Als ik met mijn pick-up voor hun huis stop zie ik dat ze hun meubels en spulletjes op het gazon hebben uitgestald. Er staan meer auto's. Ik blijf bij het tuinhek staan en kijk naar de paar mensen die er rondscharrelen. Niemand pakt iets op om het nader te bekijken. Het is alsof iets hen weerhoudt, een soort verlegenheid of gêne. Ze lijken zich allemaal ongelukkig te voelen, opgelaten.

Dan pas zie ik wat er aan de hand is. Het echtpaar Wenner heeft zijn interieur precies zo neergezet als de meubels in het huis stonden opgesteld!

De meeste mensen die een garage sale houden zetten hun spullen buiten kriskras door elkaar. Ongeveer zoals ze bij mij in de loods staan. Wiens idee zou het geweest zijn? Van meneer Wenner met zijn rode kuif en kabeltrui of van zijn vrouw, die haar peper-en-zoutkleurige haar in een knoet achterop het hoofd draagt en in een grijze wintermantel met een gele stofdoek het dressoir staat op te wrijven?

Aan de linkerkant, naast de gesnoeide rozenstruiken, hun woonkamer met de oranje tweezitsbank, de televisie op een tv-tafeltje daar een paar meter tegenover, het snoer opgerold. Voor een denkbeeldig raam staat de zwarte crapaud waarin meneer Wenner meestal naar buiten zat te kijken. Dan de eetkamer, grenzend aan de onttakelde keuken. Op de gepolitoerde tafel met zijn vier stoelen met rechte leuningen prijkt een bos anemonen in een groene vaas. Ook de snoeren van het fornuis en de ijskast zijn keurig opgerold. De gangkast is in het huis achtergebleven, maar de stofzuiger, de schoonmaakmiddelen, de emmer met de dweil en de twee bezems vormen buiten nog steeds een onberispelijk carré. Vlakbij het hek waar ik sta hebben de Wenners het ameublement uit hun slaapkamer uitgestald. Mevrouw Wenner heeft het bed opgemaakt en de grijze sprei strakgetrokken. Op een van de daaronder opbollende hoofdkussens ligt een opengeslagen pocketboek met de rug naar boven. Het is een groot ouderwets tweepersoonsbed op balpoten geflankeerd door twee roomwitte nachtkastjes waar de bezoekers met een ruime boog en op hun tenen omheen lopen, alsof de Wenners nog in dat bed liggen en niet gestoord mogen worden.

Ik loop de tuin in en bekijk de spullen. Vooral om ze niet teleur te stellen koop ik twee bloementafeltjes op hoge poten en een houten rek met porseleinen potten waarop met zwarte krulletters 'zeep', 'soda', 'suiker' en 'meel' staat geschilderd. Daar willen toeristen nog wel eens voor vallen. Ik betaal wat meneer Wenner ervoor vraagt zonder af te dingen. Hij noteert het bedrag in het schrift voor hem op het keukentafeltje. Ik zie dat ik zijn eerste koper ben.

'Dus jullie gaan terug,' zeg ik.

Meneer Wenner knikt. 'Na de oorlog zijn wij hier naartoe gekomen, maar nu is Duitsland een ander land en willen we terug. Een mens heeft toch maar één vaderland.'

Ik wens ze het beste en laad de spullen achterin de laadbak. De eerste mistflarden vlagen laag over de weg.

4

Twee opengeslagen agenda's op tafel. Een voor 1999, een voor het jaar 2000. Het abrupte verschijnen van de 2 gaf aan dat er een nieuw tijdperk was aangebroken. Het laatste jaar van de twintigste eeuw was met al zijn negens opgeslokt door die twee met drie nullen. Harry was het daarmee niet eens geweest. 'Het jaar 2000 is het laatste jaar van de twintigste eeuw,' had hij een keer gezegd toen ik bij Sandra en hem at. Pas in 2001 begint de nieuwe eeuw. Ik keek naar Sandra en die glimlachte me bedeesd en sierlijk toe. Die glimlach betekende dat ik Harry maar beter gelijk kon geven. Des te eerder konden we over iets anders beginnen. Zo gauw het over cijfers ging, bedragen of iets anders dat met rekenen te maken had, wist Harry het altijd beter. Ik herinner me dat vergoelijkende lachje van Sandra, haar schouders een beetje naar voren, haar halflange blonde haar dat ze met een korte zwaai naar achteren zwiepte zodat de huid rond haar adamsappel straktrok. Ander onderwerp graag.

Ik denk dat er aan de eetkamertafel van hun huis in Alkmaar veel onbesproken bleef. Toch had ik niet het idee dat hun huwelijk slecht was. Harry was heel erg aanwezig en daarom ging ze hem uit de weg, later toen Martijn geboren was helemaal.

Nee, Harry was niet harteloos. Hij was alleen maar tomeloos ambitieus. Als kind zat hij al met zijn neus in de boeken. Vooral boeken over verre werelddelen. Hij tekende landkaarten waarmee hij zijn kamertje volhing. Als je hem vroeg wat hij worden wilde zei hij: ontdekkingsreiziger. Op meubelmaken keek hij neer, hij ging maar zelden bij zijn grootvader langs, al woonden we in hetzelfde dorp. Maar Ate was trots op zijn kleinzoon. 'Hij heeft een studiehoofd,' zei hij. 'Je moet hem door laten leren, Stijn.' Dat zei de bovenmeester van de lagere school ook. 'Natuurlijk,' zei ik. Maar ik vond het jammer dat mijn zoon altijd zo teruggetrokken was. 'Laat hem maar,' zei Geesje. 'Hij is gewoon verlegen.' Hij wilde ook niet aangeraakt worden. Als ik hem soms een goedkeurende aai over zijn bol gaf, trok hij zijn hoofd terug alsof mijn hand brandde, deinsde hij achteruit alsof ik hem wilde slaan.

Ik denk dat Sandra op de hbs in Alkmaar zich aangetrokken voelde tot die stille jongen.

'Hij had iets geheimzinnigs,' zei ze. 'Dat geslotene vond ik juist mooi.' Ja, ze was al in de vierde verliefd op hem. En hij op haar, al moest je een speciale antenne hebben om dat te merken. 'En die had ik,' zei ze met een voldaan lachje.

Sandra is een mooi meisje, nu nog steeds. Ze kan goed luisteren. Ze ging met Geesje om alsof het haar moeder was. Veel gelachen hebben die twee. Ik zat in de loods, maar zij gingen naar Alkmaar of Amsterdam, winkelen. 'Ze schikt zich,' zei Geesje. 'En Harry is niet altijd de makkelijkste.' Toen Geesje er niet meer was, was zij de enige met wie ik erover praten kon. Later was ik de enige met wie zij over Harry kon praten.

Ik kijk naar de twee opengeslagen bureauagenda's voor mij. Het is vandaag drieëntwintig november. Ik heb de gewoonte aangehouden om iedere dag een paar korte notities te maken. Maar de zestiende staat leeg. Op die dag vertrok Tracy. Ik pak de pen van tafel, aarzel, leg hem dan neer, sla de agenda voor 2000 dicht. De agenda voor 1999 ligt open op de derde week van september.

Maandag 20 september. Grote Verzoendag. Daaronder staat: 'Gesprek met Dalstra. Geen nieuws.'

De eerste twee maanden gingen we er nog van uit dat Harry gevonden zou worden of dat hij vanzelf weer zou opduiken. Hij was niet verdwenen, alleen maar tijdelijk weg, vergeten te zeggen waar hij heen ging. Daarna begon Sandra langzaam in paniek te raken. Dalstra werd steeds terughoudender. 'We doen wat we kunnen,' zei hij. Hij deed alsof het heel normaal was dat mensen zomaar verdwenen. 'Wist ik maar waar ik zoeken moest,' zei Sandra. Tot een vriendin van haar, die op een advocatenkantoor werkte, op het idee kwam om Harry als vermist op internet te zetten. Ik had daar geen verstand van, maar bij Sandra thuis stond een computer. Die vriendin zei dat ze maar eens moest kijken bij Missing Link. Die organisatie had een site waarop je vermiste personen kon laten zetten. Hun signalement en een foto.

Sandra moest Dalstra om toestemming vragen. De mensen van de website, die ergens in Amerika zaten, moesten het dossiernummer van de politie hebben en het telefoonnummer van het bureau dat de zaak in behandeling had. Dalstra maakte geen bezwaar. Hij klonk zelfs opgelucht.

Toen Harry's foto op 4 oktober voor het eerst op Missing Link verscheen te midden van tientallen andere vermiste personen, stortte Sandra in. Voor haar was het alsof hij ineens definitief zoek was. Ineens besefte ze hoe groot de wereld was. Ik probeerde bij haar de moed erin te houden, maar tegelijkertijd begreep ik dat het 'zoeken naar een speld in een hooiberg' was, zoals Dalstra zich een keer had laten ontvallen. 'Wie zoekt zal vinden' staat ergens in de bijbel, maar het is meer dat wie zoekt blijft zoeken, steeds wanhopiger.

Sandra verontschuldigde zich voor haar tranen, voor het speuren naar een verklaring voor Harry's verdwijning.

'Voor jou is het misschien allemaal nog erger,' zei ze. 'Eerst Geesje en nu je zoon.'

Het had iets met elkaar te maken, dat geef ik toe. Ik voelde het als een opdracht mijn zoon te vinden, hem eindelijk te leren kennen, voordat het te laat was en ik ook hem kwijt zou zijn. Maar in mijn dromen leefde hij al niet meer.

'Ik zal voor je zorgen,' zei ik tegen Sandra en nam haar in mijn armen. 'Ik zal altijd voor jou en Martijn blijven zorgen.' Haar blonde haar geurde naar kruidnagel (plotseling zo'n helder levend beeld in mijn verder zo afgevlakte herinneringen).

Veel van wat in deze agenda's staat is – misschien door zijn beknoptheid – nietszeggend. 16 oktober 1999. 'Naar het graf geweest. Lek in het loodsdak gerepareerd.' 18 oktober 1999. 'Schoenen gekocht (bruin), bij Sandra gegeten.'

Er staat niet waar wij het over gehad hebben, die avond. Al die gesprekken lopen in mijn hoofd trouwens door elkaar.

Als ik eraan denk zie ik Sandra nu eens in een groene blouse met witte lelies, dan weer in een citroengele mouwloze jurk of met een grijs vestje waarvan de lege mouwen voor haar borst zijn samengeknoopt. Haar mond is voortdurend in beweging, in haar hals duiken vlekken op en verdwijnen weer. Ze kijkt naar haar handen, naar haar trouwring, naar de middelvinger met het dunne ringetje met het briljantje dat van Geesje geweest is.

In mijn herinnering was Martijn niet bij die gesprekken. Hij zat op zijn kamer, maakte zijn huiswerk en luisterde naar popmuziek. 'Hij is net als Harry,' zei Sandra, 'hij heeft moeite om gevoelens te uiten. Bovendien raakt hij net in de puberteit.' Ik knikte. Waar was de tijd gebleven dat Martijn en ik in de loods rondkropen tussen oude bankstellen en crapauds en ieder gewapend met een kachelpook de vijand beslopen?

Sandra en ik, pratend over twee mensen die, ieder op hun eigen manier, verdwenen waren. Sandra was een echte Noord-Hollandse. Groot, blond, met blauwe ogen. 'Struis,' zou Ate gezegd hebben, maar het kordate in haar bewegingen was verdwenen. Vaak bleef ze middenin de kamer staan en keek ze hulpeloos om zich heen alsof ze het interieur voor het eerst zag. Richtingloos. Haar ogen hadden iets schrikachtigs, maar misschien kwam dat doordat ze slecht sliep. Uiterlijk was ze kalm, maar als ik tegenover haar aan tafel zat met een kop koffie trilde haar lepeltje tegen de rand van het kopje. Toen ik over Harry in de verleden tijd sprak, corrigeerde ze me onmiddellijk. 'Zo bedoel ik het niet,' zei ik, 'ik heb het over Harry van vroeger.' Zelf sprak ze over hem in de tegenwoordige tijd. Zo probeerde ze hem bij zich te houden.

'"Hij helpt me met mijn huiswerk". Mijn moeder slaat me met argusogen gade. Ze is maar voor één ding bang. Daarom komt ze op een dag met een pakje. Ik herinner me dat ik een kleur kreeg. Zover waren Harry en ik nog helemaal niet.'

'Ik sta achter hem en kam zijn haar in een slag terwijl hij op mijn bed zit. Ik zie kippenvel in zijn nek opkomen en kus hem daar. Dan pas draait hij zich om, zijn ogen gesloten. Als ik op zijn schoot ga zitten voel ik zijn erectie. Natuurlijk vertel ik hem niets over dat pakje in mijn tas. Ik ga naast hem op mijn bed liggen, maak zijn gulp open en trek hem af. Hij spuit op mijn jurk. Als ik mij lachend verkleed kijkt hij mij verschrikt aan, alsof hem iets ergs is overkomen. "Kom," zeg ik, "je hebt jezelf toch wel eens afgetrokken?"'

Ik wist niet goed hoe ik moest reageren als Sandra mij zulke dingen vertelde. Ik was tenslotte bijna dertig jaar ouder dan zij. Ik voelde mij ongemakkelijk. 'Verlang je naar hem?' vroeg ik.

Ze legde haar hand op de mijne, de hand met de twee ringen.

'"We gaan op de fiets naar het Alkmaardermeer". Mijn jurk waait op en ik voel hoe hij naar mijn blote dijen kijkt. Straks, in het gras. Dan zullen wij het wél doen. Het pakje van mijn moeder zit in een tas samen met boterhammen en een thermoskan met thee. "Ik weet een stil plekje". Maar als wij daar eenmaal zijn, van de dijkweg afgeschermd door een rij knotwilgen, gaat hij aan de waterkant zitten en begint de zeilboten te tellen. Hij duwt mijn handen weg. Hij moet eerst al die boten tellen. Dat is me vaker opgevallen. Hij wil van alles de exacte hoeveelheid weten. Alleen bij een uitwaaierende groep spreeuwen boven een weiland moet hij het opgeven. "Toch moet er iemand zijn die dat precieze aantal spreeuwen kent," zegt hij. "Jij en ik," en ik sla een arm om hem heen. "Twee is meer dan genoeg." '

Ja, dat herkende ik wel van Harry, die neiging tot exactheid, tot in het absurde. Ik vertelde Sandra over de oorsprong, dat ik alles wat binnenkwam noteerde in een groot schrift.

'Waarom doe ik dat,' zei ik, 'ik verkoop die spullen toch door? Toch doe ik het. Het geeft mij het gevoel dat ik orde in de chaos schep. Zoiets moet het ook bij hem zijn.'

Sandra knikte. Ze had een witte coltrui en een spijkerbroek aan. De Friese hangklok in de gang sloeg acht uur. Ik hoor hem nog.

'Harry doet niets zonder plan,' zei ze. 'Dat heeft hij nu ook gedaan. Hij heeft ergens over nagedacht, dertigduizend gulden van zijn spaarrekening gehaald en is vertrokken. Misschien is hij een reis aan het maken, wil hij een tijd alleen zijn.'

Toen begon ze te huilen.

'We vinden hem wel,' zei ik. 'Iemand vindt hem, herkent hem van de foto.'

Zij droogde haar tranen met de rug van haar hand, een wilde, onbeheerste haal over haar wang. Ze glimlachte met trillende lippen.

'Als we op vakantie gaan bestudeert hij van tevoren de hele route,' zegt ze, 'leest over de bezienswaardigheden die wij onderweg tegen zullen komen. Als we daar dan eenmaal zijn vertelt hij me wat ik zo direct te zien zal krijgen. Het klopt altijd. "Jij hebt de reis eigenlijk al gemaakt," zeg ik, naast hem in de auto. Hij doet alsof hij dat niet begrijpt. "Ik houd niet van mensen die zomaar wat rondrijden," zegt hij korzelig. "Op die manier mis je de mooiste dingen." Ja, hij stuurt mijn leven, nu nog steeds.'

Ze moest slikken om niet weer te gaan huilen.

Van de mensen van Missing Link hoorden we niets. 'Wie kijkt er nu op zo'n site? Toch alleen maar mensen die zelf iemand zoeken die vermist is?' Daar had Sandra gelijk in. Het was een strohalm, meer niet.

Het was december. In de hoek van de huiskamer stond een opgetuigde kerstboom. Harry was een halfjaar weg.

'Je gaat tenslotte achter alles iets zoeken,' zei ik, 'je kent overal een betekenis aan toe.' De dag voor het ongeluk kocht Geesje een boek. *Een leeg huis.* De volgende dag was ze dood en lag ik in coma in het ziekenhuis. *Een leeg huis*, de verleiding is groot om in die titel een voorspelling te zien. Toch is dat onzin.

Zo zaten we al die maanden aan tafel en hielden onze geliefden in leven door over ze te praten. Het was het enige dat ons restte: verhalen. Er was eens... En nu niet meer. Het aantal verontruste telefoontjes van vriendinnen en kennissen nam geleidelijk af. En Martijn sprak helemaal niet meer over zijn vader.

'Zolang ik aan hem denk is hij in leven,' zei Sandra.

Ik knikte en verzweeg dat mijn herinneringen aan Geesje meer en meer uit woorden begonnen te bestaan, verwijzingen naar iets dat er niet langer was.

III

1

De opgewekte tv-presentator, die met zijn aanwijsstok de naderende sneeuwbuien boven zee omcirkelt spreekt van windkracht zes en een temperatuur van min twaalf graden. Ik kijk van het televisiescherm naar buiten en constateer dat hij de mist is vergeten. Misschien dat die er in het eerdere bulletin nog wel hing. Door de mist tekent zich de bleke cirkel van de zon af, de bosrand achter de akker lijkt iets boven de grond te zweven. Zo nu en dan hoor ik op de weg auto's voorbijkomen. Het is zondag. Veel mensen zijn onderweg naar de kerk. De katholieke kerk van St. George of de protestantse Hubertuskerk. Ooit ben ik wel eens in het houten St. George-kerkje geweest. Tussen de pilaren hangen drie votiefscheepjes aan lange draden. Vroeger was dat een schipperskerk. Het ontzag voor de zee en voor God moet even groot zijn geweest: op de liggende stenen van het kerkhof worden zij beide veelvuldig genoemd. 'De zee heeft genomen', 'God heeft tot zich geroepen'.

Op het scherm verschijnt een dominee met glanzende handen, alsof hij ze met vaseline heeft ingesmeerd. 'Lieve vrienden,' zalft hij tegen een roze achtergrond. Ik zet het toestel uit, met godsdienst heb ik mij nooit ingelaten. Bruce zegt dat godsdienst niets anders is dan geritualiseerde doodsangst. Het leven is eindig. Moet daar zo moeilijk over gedaan worden, dieren hoor je er toch ook niet over?

'Ik heb er geen vrede mee,' zei ik. 'Wel voor mijzelf, maar niet wat anderen betreft.'

'Toch zul je wel moeten,' zei Bruce. 'Op den duur.'

Hij heeft makkelijk praten, hij heeft niemand, zelfs geen hond meer nu. Toen hij zijn oude zieke hond doodschoot had het beest hem niet-begrijpend aangekeken.

'Dat weet je nooit zeker,' zei ik, 'je weet niet wat zo'n dier op zo'n ogenblik denkt.'

'Dieren denken niet, niet op onze manier,' zei hij, 'ze leven tot hun leven ophoudt, dat is alles.'

Verbaasd kijk ik op als ik autobanden in de sneeuw hoor knerpen. Een grijze Chevrolet, mij onbekend. Ook de mensen die eruit stappen, een vrouw in een wit ski-jack en een man met een duffelse jas, ken ik niet. Hun adem komt in korte witte pluimpjes uit hun mond. De man blaast in zijn handen, de vrouw heeft bonthandschoenen aan. De tas aan haar arm is van goedkoop rood plastic. Ik sta op en loop naar de achterdeur. Zeker de weg kwijt.

De man vraagt of ik Stijn ben, Stijn van The Collector.

Ik knik.

'En wie bent u?'

De vrouw steekt haar gehandschoende hand uit.

'Sarah Morley,' zegt ze, 'de dochter van Edward Morley, van Tinpole Road. En dit is mijn man Bill.'

Ik schud de rode hand van de man en vraag ze binnen. De man stampt in het voorhuis de sneeuw van zijn juchtleren schoenen.

'We zouden u niet lastiggevallen hebben als we uw telefoonnummer geweten hadden.'

‘Ik heb geen telefoon,’ zeg ik en ga ze voor naar de keuken.

Geen telefoon, daar kijken ze van op.

‘Ik zit praktisch de hele dag in de loods,’ zeg ik. ‘De mensen weten me te vinden.’

‘Daar zijn we ook geweest,’ zegt de vrouw en gaat met haar handen door haar korte bruine haar, ‘maar u was er niet.’

‘Nee, dat klopt,’ zeg ik. ‘Het is zondag vandaag. Maar wat kan ik voor u doen. Zoekt u iets speciaals?’

‘We komen helemaal uit Goldboro,’ zegt de man en kijkt verlangend naar een van de keukenstoelen.

‘Gaat u eerst zitten,’ zeg ik. ‘Koffie?’ Dat willen ze. Terwijl ik koffie zet hoor ik de vrouw tegen mijn rug praten.

‘Mijn vader is een paar dagen geleden overleden. We hebben het pas gisteren gehoord. De begrafenisondernemer is net langs geweest om hem weg te halen. We moeten vandaag nog terug. Zijn huisje staat leeg en nu dachten we... We hebben gehoord dat u inboedels opkoopt.’

Als ik de mokken met koffie over tafel naar hen toeschuif zie ik dat de vrouw de sleutel van het huisje van de oude Edward voor zich op tafel heeft gelegd.

‘Zo zo,’ zeg ik. ‘Hoe oud is hij geworden?’

‘Negenentachtig,’ zegt de man. ‘Hij had kind noch kraai.’

‘Hij had u toch,’ zeg ik.

‘Edward was erg doof de laatste jaren,’ zegt de vrouw en haalt een lippenstift uit haar jaszak. ‘We konden hem niet meer bellen. En omdat wij helemaal in Goldboro wonen...’ De vrouw stift haar lippen, perst ze dan even op elkaar en bergt de lippenstift op in haar tas.

Ik knik.

'En nu wilt u zijn inboedel verkopen.'

'Het gaat ons niet om het geld,' zegt de man die zijn jas heeft opengeknoopt, waaronder een groen-zwartgeblokt houthakkershemd tevoorschijn komt. 'Het gaat niet om het geld, maar het huisje moet leeg. We hebben niet veel tijd.'

'Ik begrijp het,' zeg ik. 'Ik ga wel even kijken. Als ik een prijs heb bepaald bel ik u.'

'Zo, dus bellen kunt u wel.'

Er klinkt lichte spot in de stem van de man die de verzorgde handen van een kantoormens heeft.

'Als u telefoon hebt natuurlijk,' zeg ik.

De vrouw haalt een blocnootje en een pen uit haar tas en schrijft iets op. Ze scheurt het blaadje eruit en schuift het naar mij toe. Niet alleen hun naam en telefoonnummer staat erop, ook het nummer van hun bankrekening.

'Ik ga zo gauw mogelijk kijken,' zeg ik.

De twee staan op. Ze lijken opgelucht. En natuurlijk hebben ze haast.

Voor het raam kijk ik ze na. Ze trekken zich bij je leven niets van je aan, maar zodra je dood bent weten ze niet hoe gauw ze naar een opkoper moeten rennen om je boeltje te verpatsen.

Ik kende de oude Edward wel. Hij droeg een lange jas met overslagen, heel ouderwets. En zijn zwarte schoenen waren altijd keurig gepoetst, weer of geen weer. Bij Sandy gaf hij zijn boodschappenbriefje af. Dan ging hij in een hoek van de winkel op een keukenstoel zitten wachten tot zijn bestelling klaar was. Hij had die lege afwachtende blik van een dove, zijn hoofd zo'n beetje scheef. Afwachtend en ook wat achterdochtig. En nu was hij dus dood.

Ik pak de sleutel van tafel en besluit er maar meteen heen te gaan. Mocht de man van de weerdienst gelijk krijgen dan kan ik er morgen niet komen.

2

Edward Morley woonde in een kleine boerderij met een paar vervallen schuren eromheen waarin heel vroeger zijn dieren moeten hebben gestaan. Hij was allang geen boer meer, leefde van een ouderdomsuitkering. Zijn boodschappen deed hij op een Norton met zijspan, een ding van ver voor de oorlog. De knalpot maakte zo'n lawaai dat iedereen hem al van op kilometers afstand hoorde aankomen.

Als ik over de smalle bosweg bij zijn boerderijtje kom zie ik de bandensporen van de Chevrolet, de geribbelde zoolafdrukken van de juchtleren schoenen van de man en de smallere van de laarsjes van de vrouw en even verderop nog een bandenspoor. Dat zal de begrafenisondernemer geweest zijn, Jason. Ik zie dat ze de oude Morley door de voordeur naar buiten hebben gedragen. Zoals het hoort.

Ik steek de sleutel in het slot en stap het gangetje in. Aan de houten muur hangt een ingelijste kleurenreproductie van een eland. De kachel heeft dagen niet gebrand. Misschien heeft de oude Edward hier al een paar dagen stijf en bevroren gelegen. Wie zou hem gevonden hebben? Op tafel staat een bakelieten tabakspot met ernaast een doorgerookte pijp met een vergeeld mondstuk. Op de hoek van de tafel ligt een zwarte bijbel. Het paarse leeslint hangt over de rand. Voor de potkachel staat een houten leunstoel waarvan de rugleuning versteld kan worden. De kussens glimmen van vet en ouderdom. Het keukentje is netjes opgeruimd alsof Edward de boel keurig wilde achterlaten. Maar alles wat daar staat en ligt is waardeloos. Wat denken die lui uit Goldboro wel? Aan het dressoir ontbreekt een poot. Daar heeft Edward een oud telefoonboek onder geschoven. Veel van de kopjes vertonen barsten, de glazen zitten dik onder het stof. Allemaal spul uit de supermarkt.

Ik ga de kamer uit, de trap op naar boven. Een kamertje aan de voorkant staat vol harken, een zeis, een oude wan en een ijzeren melkbus waarvan het deksel zit vastgeroest. Het bed van de oude man in zijn slaapkamer aan de achterkant is afgehaald. Dekens en lakens zijn nergens te bekennen. Zeker weggegooid, als hij tenminste in dit bed is gestorven. De linnenkast is verveloos en in de spiegel aan de binnenkant zit het weer. Er hangen wat oude pakken die zo naar de lommerd kunnen. Naast het bed staat een nachtkastje waarvan het deurtje klemt. Daarin ligt een zwart schrift. Gemarmerde kaft met etiket. Ik sla het open. Dan laat ik mij op de rand van het afgehaalde bed zakken en begin te lezen. Wat is dit in godsnaam?

3

'Dit is het handschrift van mevrouw Swan,' zegt Bruce. 'Hetzelfde als van haar pamfletten die ze op de markt in Lenfield aan iedereen uitdeelt. Mevrouw Swan met haar gesteven kapje en haar baaien rok. Ze kijkt alsof ze voortdurend haar lachen moet houden, maar dat is maar schijn, ze is een en al ernst. Er is zelfs een rots naar haar genoemd, Swan's Point. Daar knielt ze iedere dag, weer of geen weer, om te bidden, tot God of tot de zee. Ze wil iedereen bekeren, dus ook de oude Edward.'

Bruce bladert verder in het schrift.

'Zij was de enige die hem nog opzocht, niemand anders liet boodschappen voor de dove Edward achter.'

Laten wij bidden, Edward.

⋆

Edward, waar zijn je schoenen?

⋆

De God der rechtvaardigen is ook jouw God. Ook jij zult de hemelse koren gewaarworden, Edward.

⋆

Is de koffie nu alweer op?

⋆

De Heer heeft met alles zijn bedoeling. Wie zich in uiterste eenzaamheid tot de Heer wendt, hij zal gehoord worden.

⋆

Nee Edward, de Heer is niet doof, hij hoort en ziet alles.

★

Ook ik ben eens verstoten van het erf der vaderen. Tot Jezus op mijn pad kwam.

★

Een dove kan toch wel iedere dag de vloer vegen?

★

Heb geduld, Edward. Eens zal de Heer je de helpende hand bieden, net zoals hij dat met mij heeft gedaan.

★

Tot morgen, Edward. Moge de Heer met je zijn. En vergeet niet de asla te legen.

'Zij heeft hem natuurlijk gevonden en Jason gewaarschuwd,' zegt Bruce.

'Zou zij hem bekeerd hebben?'

'God mag het weten,' zegt Bruce. 'Het enige wat ik weet is dat Edward niet vies van een borrel was. Een keer in de zoveel tijd ging ik hem een fles van mijn zelfgestookte gin brengen.'

'Op de rand van de tafel lag een bijbel,' zeg ik.

'Die had mevrouw Swan anders niet nodig, die kende ze uit haar hoofd.'

'Hier,' zeg ik, 'hier heb ik het telefoonnummer van zijn dochter. Wil jij haar bellen en zeggen dat ze die inboedel maar naar de vuilnisbelt moeten brengen? Die twee dachten dat ze er nog wonderwel wat voor zouden krijgen.'

Bruce bladert verder in het schrift, schuift het dan opzij.

'De bijbel,' zegt hij, 'alle ellende is begonnen met een boek. Omdat alles wat daarin staat voor altijd vastligt kan een gelovige niet anders dan zichzelf herhalen. Dat is de kracht van religie, dat ze voor eeuwig pas op de plaats maakt. Daarom verandert er in godsdienstige landen nooit wat. Nee, dan de Maori's, daar telt alleen de vluchtigheid van het gesproken woord, de bevlogenheid van het ogenblik. Ze schrijven niets op, alles wat gezegd wordt maakt deel uit van de eeuwige verandering.'

Ik sta op. Als Bruce eenmaal over de Maori's begint...

'Je mag dat schrift wel houden,' zeg ik. 'Of vind je dat ik het aan mevrouw Swan moet geven?'

Bruce grijnst.

'Die vindt wel weer een nieuwe bekeerling.'

Buiten valt de eerste sneeuw van de dag.

4

Kerstmis 1999 was ik alleen, staat hier. 'Alleen'.

Ik herinner me die dagen niet meer, maar wel dat ik het niet erg vond om alleen te zijn. Oud en nieuw bracht ik bij Sandra door. Die avond, een vrijdag, herinner ik me nog wel. Martijn was met vriendjes de stad in om vuurwerk af te steken. Harry was een halfjaar weg. Van Dalstra hadden we al tijden niets gehoord. Sandra was een paar dagen tevoren op het bureau langs geweest, maar Dalstra was met vakantie. Aan een andere rechercheur had ze gevraagd of hij kon nagaan of Harry die zeventiende juli of kort daarna met een vliegtuig was vertrokken. Dat zijn auto in Hoofddorp was teruggevonden wees toch in die richting? 'Mevrouwtje,' had de man hoofdschuddend gezegd terwijl hij zijn blik op haar borsten fixeerde, 'mevrouwtje, als we daarmee begonnen had Schiphol dagwerk. Alleen als er het vermoeden van een misdaad bestaat, kunnen wij inzage in de passagierslijsten vragen.' 'Of als er een vliegtuig is neergestort,' had Sandra daar spottend aan toegevoegd. 'Dan ook natuurlijk, mevrouw,' had de man achter het bureau gezegd. Onbewogen. 'Dat spreekt vanzelf.'

'Dus u doet niets?'

'Dat is de verkeerde conclusie. De gegevens worden regelmatig door onze collega's in binnen- en buitenland gecheckt. Zo gauw hij ergens opduikt hoort u van ons.'

'En als hij vermoord is?'

'Er is geen enkele reden om aan te nemen dat uw man vermoord is. Niets in het onderzoek wijst in die richting.'

Ik dacht daar anders over. Harry had tenslotte dertigduizend gulden op zak. Maar dat zei ik natuurlijk niet tegen Sandra.

Die oudejaarsavond bekeken we hun fotoalbum. Sandra en Harry hadden ruim acht jaar samengewoond voor ze trouwden. Dat ging zo tegenwoordig. Pas middenin het album doken de foto's van hun bruiloft op. Ze had niet die verliefde blik die ik mij van Geesje tijdens ons trouwen herinner.

'Ik voelde mij al getrouwd,' zei Sandra.

In haar witte jurk, tot net over de knie, keek ze haar echtgenoot zelfverzekerd aan. Niet met dat mengsel van zenuwen en opgewonden verwachting waarmee Geesje in de raadszaal stond, verstrooid luisterde naar de ambtenaar en bijna vergat antwoord te geven op de vraag of ze mij als haar man wilde hebben. Iedereen moest lachen. Ate zat op de eerste rij. Je kon zien dat hij rechtsboven twee tanden miste. Geesje bloosde en legde gauw haar hand op de mouw van mijn jacquet alsof ik er op het laatste moment nog vandoor zou kunnen gaan.

'We waren allebei heel zenuwachtig,' zei ik. 'De huwelijksnacht brachten we door in een hotel op de Veluwe, ergens in de buurt van Nunspeet. De eigenaar van het hotel wilde onze paspoorten en ons trouwboekje zien, zo jong zagen we er nog uit.'

'Het is vreemd met verliefdheid,' zei Sandra. 'Je gaat zo in een ander op dat je alles om je heen vergeet. Misschien dat je je er daarom later maar zo weinig van herinnert.'

'De wereld wordt er anders door,' zei ik. 'Het was alsof

alles in het licht stond, de polders, de donkergerande wolken boven de weilanden, het rimpelende water in de vaart. Ik geloof dat ik van mijn leven niet beter gekeken heb. Een fuut met drie jongen op haar rug. Ik zie haar nog zo voorbijzwemmen. Een waterhoentje dat tussen het riet langs de vaart scharrelde, zich van de kant liet zakken en wegzwom. Alles blikkerde. Geesje was overal. Waar ik ook met haar kwam leek de wereld nieuw, voor het eerst gezien.'

'Jullie waren nieuw voor elkaar,' zei Sandra.

'Soms kwam ze midden overdag naar de loods. Bedden genoeg.'

'Tot je van elkaar verzadigd raakt.'

'Op den duur wordt het anders,' zei ik.

De Friese staartklok in de gang gaf aan dat het elf uur geweest was. We zetten de televisie aan. Een bebrilde komiek vertelde grappen. Sandra keek of luisterde er niet naar. Ik lachte met het publiek in de studio mee, maar van harte ging het niet.

Ja, het was anders geworden. Omdat je dag in dag uit met elkaar leefde groeide je van lieverlede in elkaar. Dat gevoel van onafscheidelijkheid, de verstrooide aanhankelijkheid, het dagelijks noemen van elkaars naam, de vluchtige kus waarmee je elkaar 's avonds begroette, al die aanrakingen in het voorbijgaan.

Mensen gaan steeds meer uit gewoontes bestaan. Alles aan elkaar raakt steeds meer vertrouwd. Je weet wat ze zeggen gaat en verheugt je als ze dat ook inderdaad zegt. Stopwoordjes, grapjes die niemand anders begreep. Allemaal gewoontes ja. Maar pas achteraf besef je hoe wezenlijk ze zijn. En dan soms het oplaaien van die vlam zodat je elkaar opnieuw zag.

'Weet je wat ik het ergste vond,' zei Sandra. 'Toen ik tweede kerstdag bij mijn ouders at sprak mijn vader tijdens het snijden van de reerug over Harry alsof hij er niet meer was. Opeens moest ik janken, keihard. Zoals ik vroeger als kind huilde. Ontroostbaar. En weet je wat ik steeds maar zei? "Hij ruikt zo lekker. Harry ruikt zo lekker." '

'Hij meende het natuurlijk niet zo,' zei ik. 'Als iemand een tijd weg is gaan mensen zonder het te beseffen over op de verleden tijd. Maar de echte tijd zit hier,' zei ik en tikte tegen mijn voorhoofd.

Het was bijna twaalf uur. Buiten werden de eerste vuurpijlen afgestoken. Rond de Grote Sint Laurenskerk en in de Langestraat zou zo direct het geknal losbarsten. Op het televisiescherm verscheen een klok met een tikkende secondewijzer. We gingen staan. Het zag er een beetje belachelijk uit, die blonde jonge vrouw in haar gebreide korenblauwe jurk en ik in mijn wat sleetse, grijze flanellen pak en scheefzittende stropdas. We pakten elkaar bij de schouders.

'We vinden hem,' zei ik.

'De eenentwintigste eeuw is begonnen,' zei ze. 'Het is net alsof iemand een deur achter me dichtslaat, alsof het daardoor allemaal nog veel langer geleden is. Verder weg.'

Ik tikte weer tegen mijn voorhoofd. 'Je weet wat ik zonet gezegd heb. Bovendien, volgens Harry begint de eenentwintigste eeuw pas volgend jaar.'

Die nacht bleef ik bij Sandra in huis slapen. Ze wilde niet dat ik zo laat nog de polder in reed. Bij de jaarwisseling vielen er altijd een paar doden. Jongelui die dronken achter het stuur kropen en de kaarsrechte wegen afraasden totdat er vanuit de even kaarsrechte zijwegen een ander op hen in reed.

'Hij ruikt zo lekker,' had ze gezegd. Ik herinner mij hoe ik mijn hoofd in Geesjes kleren had begraven, haar lichaamsgeur had opgesnoven. Maar in mijn herinnering is daar niets van blijven hangen.

Nu zou een borrel van Bruce er wel ingaan. Ik zet de televisie aan, maar bij de zevende van zijn paard tuimelende indiaan zet ik het toestel uit.

IV

1

Ik rouwde. Kenners zeggen dat dat minimaal een jaar duurt, dokter Van Berkel ook. Maar zo was het niet. De ene dag was ik zo dichtbij het ogenblik van haar onherroepelijke dood dat het zweet me uitbrak en ik van binnenuit werd overweldigd door een onbeheersbare huilkramp, de andere dag leek het alsof het een ander was overkomen. Het enige waaraan ik de verstrijkende tijd kon afmeten waren de voorwerpen om mij heen. Langzaam maar zeker namen zij afstand van mij, of nee: van haar, van Geesje.

Alle dingen in huis waren eerst nog bedekt met een dun gebruikslaagje dat haar dagelijkse handelingen erop hadden achtergelaten. Een gele stofdoek in het stofmandje kon ik maar met moeite hanteren, haar handen zaten de mijne in de weg. Ik liet het broodmes rusten en kocht voortaan voorgesneden brood. De klerenkast was verboden gebied. Toch begon ik die na een halfjaar op te ruimen. Op een dag gooide ik haar kleren en schoenen weg. Toen ik dat eenmaal volbracht had – een dag dat ik naar het kerkhof reed en bloemen op haar graf legde als om vergiffenis te vragen dat ik haar stoffelijke omhulsels had weggedaan – leek er plotseling iets in huis te veranderen. Het was alsof de voorwerpen mijn voorbeeld volgden en zich van haar vroegere aanrakingen begonnen te ontdoen. Ik was nu alleen met de dingen. Eenzaam maar in zekere zin ook vrijer. Ik kon ze weer hanteren zonder steeds aan haar te hoeven denken. Geesje zat nu alleen nog in mij, wilde niet vertrekken omdat ik haar niet had zien verdwijnen uit dit leven.

Hoe anders was dat bij Sandra thuis. Al Harry's spullen liet ze angstvallig op de plaats liggen waar hij ze het laatst had achtergelaten: zijn scheerapparaat, zijn pyjama (donkerblauw met een licht streepje) onder het kussen aan zijn kant van het lits-jumeaux, zijn gepoetste schoenen in een rechte rij onderin de klerenkast waarin ook zijn pakken hingen en zijn overhemden op keurige stapeltjes lagen. Alsof Harry, als hij terugkwam, gewoon zou kunnen doorgaan met waar hij het laatst mee bezig was geweest, alsof zij hem zo terug kon lokken in haar leven en er in de tijd dat hij was weg geweest niets was voorgevallen, niets in huis van plaats was veranderd. Daarom maakte ze een keer zo'n felle ruzie toen Martijn Harry's aftershave had gebruikt; er mocht niets tussen haar en Harry's eigendommen komen, zelfs niet de handen van haar eigen zoon.

2

Op Sandra's verjaardag gingen we met zijn drieën in een Chinees restaurant eten. Uit de luidsprekers klonken ijle meisjesstemmetjes. Ze deden me aan vogelgekwetter denken. Martijn ging eerder weg, hij had een afspraak met vrienden. Ik keek hem verstoord aan.

'Op je moeders verjaardag?'

Maar Sandra legde haar hand op mijn arm en zei: 'Laat hem maar.' Toen Martijn weg was ging ze rechtop zitten en zei: 'Geloof jij dat Harry's verdwijning iets met Geesjes dood te maken zou kunnen hebben?'

Ik had daar zelf ook wel eens aan gedacht maar had het idee meteen weer als een hersenschim van mij afgezet.

'Ik weet niet,' zei ik voorzichtig, 'ik denk het niet. Natuurlijk hield hij van haar maar om nu te zeggen dat zij een heel hechte band hadden... Die had hij eigenlijk met niemand.' Ik hield geschrokken mijn mond. 'Ik bedoel met ons, zijn ouders, zijn vrienden. Je weet het natuurlijk nooit, maar als kind al kon hij ons aan tafel aankijken alsof hij alleen maar bij ons op bezoek was.'

Ze knikte. Iets ervan herkende ze.

'Had hij het dan vaak over haar,' vroeg ik, 'over Geesje?'

'Alleen als ik over haar begon,' zei Sandra. 'Ik herinner me dat hij een keer zei dat ze wat meer zou moeten lezen.' Sandra lachte. Zelf werkte ze als bibliothecaresse bij de stadsbibliotheek, hun huis lag altijd vol boeken.

'Waarom zei hij dat?'

'Hij vond haar wereld te klein, te, ja hoe moet ik dat zeggen, te huiselijk.'

'En wat zei jij toen?'

'Dat voor sommige mensen het leven zelf genoeg was.'

'Ze hield van mensen,' zei ik. 'Ze ging vaak bij Ate en Irma langs en ze was dol op Martijn. Familie was voor haar het belangrijkst.'

'Ik denk dat ze gelijk had,' zei Sandra. 'Dat besef ik nu pas.'

'Nee,' zei ik, 'ik kan me niet voorstellen dat Harry's verdwijning iets met Geesje te maken kan hebben.'

De rest van de avond herinner ik me niet meer, ook niet wat ik haar voor haar verjaardag gaf.

3

Het heeft al een paar dagen niet meer gesneeuwd. De hoge wallen die de sneeuwploeg langs de kant van de weg heeft opgeworpen zijn hard en bevroren. Iedere dag dat het niet sneeuwt dikken ze verder in. Sneeuw die een tijdje ligt klinkt ook anders als je erop loopt. Volgens het weerbericht hoort het vijftien graden te vriezen, maar de buitenthermometer wijst tien graden aan, tien graden en nog wat. Ik ben al een paar dagen niet naar de loods geweest. Niemand gaat de weg op als het niet echt moet. In Sandy's dorpswinkel slaan de mensen meer in dan gewoonlijk. 'Het kan wel eens flink gaan winteren,' zeggen ze. Het zal niet de eerste keer zijn dat we de kerst over de telefoon moeten vieren. Ook Bruce doet goede zaken. De meeste mensen hebben geen zin om helemaal naar Lenfield te rijden en nemen het voor lief dat zijn gin in gebruikte wijnflessen zit.

Als hij geen drank verkoopt of in zijn boeken over de Maori's zit te lezen werkt hij aan de junkboeken. Bruce heeft praktisch zijn hele leven in de buurt gewoond. Aan bijna alle vroegere eigenaars van meubels en gebruiksvoorwerpen heeft hij herinneringen. En als hij die niet heeft vervangt hij ze door zijn verhalen.

'Waar haal je die toch vandaan?' had ik hem wel eens gevraagd.

Bruce had zijn schouders opgehaald.

'De hele wereld zit vol verhalen, ze zitten in alles verstopt. Je hoeft ze er alleen maar uit te halen.'

Daarna begon hij uit te weiden over de cultuur van de Maori's voor wie alles bezield was, alles zijn eigen verhaal had. Hij tikte tegen de diepe rimpels in zijn voorhoofd.

Ze schreven nooit iets op, alles werd mondeling overgeleverd. En als er geen woorden waren voor wat ze zagen maakten ze nieuwe. Daarom is er geen taal op de wereld die zo in beweging is als de hunne. De missiepaters die bezig zijn om een woordenboek van de Maori-taal aan te leggen vechten tegen de bierkaai. Natuurlijk hebben de paters in het begin geprobeerd ze te bekeren, nette Australiërs en Nieuw-Zeelanders van ze te maken, maar daar moesten ze niks van hebben, van dat christendom. De heilige drie-eenheid vonden ze maar een armzalige uitvinding en zo'n boek als de bijbel waarin alles vastlag, onbegrijpelijk vonden ze dat. Tegenwoordig zijn ze in het parlement vertegenwoordigd. Daar lullen ze iedere blanke politicus van de sokken. Ze hebben al heel wat gedaan gekregen. Land waar de Australiërs wilden bouwen hebben ze teruggekregen. Dat is het land van hun voorouders. Ze begraven hun doden in aarde die ze hun geboortegrond noemen. Doden zoals wij die zien, personen die alleen nog maar in de herinnering van levenden voortbestaan, kennen ze niet. Iedereen is altijd en overal aanwezig. De aarde is een doorgangshuis.

Bruce geloofde in hun levensbeschouwing, maar hij had het nooit over zijn doden. Misschien daarom juist, ze waren altijd bij hem. Hij hoefde nooit terug te blikken.

'Soms zou ik willen dat ik ook zo kon denken,' zei ik.

'Dat zei Tracy ook tegen mij. Ze zag mij geloof ik als een soort goeroe. "Nee kind," zei ik. Eerst moet je mensen en dingen om je heen verzamelen. Pas als je die bent kwijtgeraakt begint het ware leven.'

'Misschien heeft ze die raad wel opgevolgd,' zei ik.

'Ze luisterde net zomin naar jou als naar mij,' zei Bruce. Hij schonk een drankje in dat hij arak noemde, iets Aziatisch als ik me niet vergis.

'Alleen de namen der grote drinkers leven voort. Dat is een Chinees gezegde,' zei hij.

Ja, ook ik heb een paar flessen ingeslagen voor de donkere dagen die voor mij liggen.

4

Sandra keek me met verschrikte ogen aan. Ze zag bleek, haar kin trilde terwijl ze verstrooid door het fotoalbum voor zich op tafel bladerde. 'Dit is mijn leven niet,' mompelde ze, 'dit mag mijn leven niet worden.'

'Wat is er?' vroeg ik. 'Is er iets gebeurd?'

'Middenin de nacht werd ik wakker. Ik wist zeker dat Harry dood was. Ik had een boek in mijn handen, een boek dat over hem ging en waarin deze foto's stonden.'

'Je hebt gedroomd.'

'Dat weet ik ook wel,' zei ze geïrriteerd, 'maar dat gevoel wil maar niet overgaan.'

'Als dat waar zou zijn hadden ze hem allang gevonden.'

Ze keek strak het raam uit, naar een braakliggend terrein voor een rij hoge flats. Er graasden wat paarden, kalm, met gebogen hoofden.

'O Stijn,' zei ze, 'ik weet niet meer wat ik moet doen, wat ik moet denken.' Ze bladerde verder door het album.

Ik begreep wat ze voelde. Om dezelfde reden keek ik niet meer in mijn eigen fotoalbum. De foto's dreigden mijn herinneringen te verdringen. Liever had ik die vage lukraak in mijn hoofd opdoemende beelden dan de harde, ingekaderde werkelijkheid van momentopnamen, voorgoed vastgelegd en daarom doodser dan ooit. Met zachte drang trok ik het album uit haar handen en sloeg het dicht.

'Je moet vooruit blijven denken,' zei ik, 'dit jaar zullen

we hem vinden.' Ik zei het zonder overtuiging, een beetje plichtmatig en waarschijnlijk hoorde zij dat. Ze knikte en zuchtte een paar keer.

De feiten waren anders. De politie liet niets meer van zich horen en ook van de mensen van Missing Link kwam ze niets te weten. Elke dag bezocht ze hun website en klikte op de naam Harry Bekkering. Na een moment doemde zijn pasfoto op het scherm op. Zijn signalement stond ernaast. Donker haar, bruine ogen. Lengte: 1,74 m. Gewicht: 73 kilo. Op het moment van zijn verdwijning droeg hij een donkerblauw pak, wit overhemd, roze stropdas en zwarte leren schoenen zonder werkje. Eenieder die inlichtingen over zijn huidige verblijfplaats kan geven...

Tot nu toe had niemand gereageerd. Toch trof ze ook mededelingen op de site aan die haar weer moed gaven. Een eenentwintigjarige Koreaanse, Li Yang Mitchell, was na acht jaar op Hawaï teruggevonden.

'Ik maak me zorgen om Martijn,' zei ze. 'Hij voert niets uit, zit het grootste deel van de tijd bij vriendjes of hij hangt in snackbars rond. Ik heb al een brief van de rector ontvangen dat hij met enige regelmaat niet op school verschijnt. Wat moet ik daaraan doen, Stijn?'

'Je moet met hem praten,' zei ik.

'Als ik dat probeer loopt hij de deur uit.'

'Laat mij het een keer proberen.'

5

Ik wachtte hem bij school op. Hij wilde net met een paar jongens weglopen toen ik hem aan zijn mouw trok.

'Kan ik je even spreken?'

Hij keek verontschuldigend naar de jongens die een eindje verderop te wachten stonden. 'Ik kom zo,' zei hij en kwam toen naast mij lopen.

'Wat is er?' vroeg hij. 'Er is toch niets met mama?'

Ik schudde mijn hoofd. 'Ik wil gewoon even met je praten. Net als vroeger.'

'Mama heeft je gestuurd.'

'Nee, Sandra weet hier niets van. Zullen we daar...?' Ik wees op een lunchroom schuin aan de overkant. Achter het raam zaten twee dames met precieuze gebaartjes thee te drinken. Hij haalde zijn schouders op.

'Je moeder maakt zich zorgen over je,' zei ik toen we eenmaal zaten en koffie hadden besteld.

'Waarover dan?'

De oude vertrouwelijkheid van grootvader en kleinzoon had plaatsgemaakt voor achterdocht. Achterdocht en angst. Paniek bijna.

'Je moeder heeft een brief van de rector ontvangen dat je soms niet op school komt.'

'Dus daar heeft ze wel met je over gepraat.'

'Het kwam toevallig ter sprake. Maar is niet zo belangrijk. Zelf heb ik ook wel eens gespijbeld. En je vader net zo goed.'

'Dat duurt nu anders wel heel lang,' zei hij. Zijn sarcasme was een manier om de onderliggende paniek in bedwang te houden. Hij peuterde het plastic kuipje koffiemelk open en goot het leeg in zijn kopje.

'Hij heeft ons in de steek gelaten!'

Fel en verontwaardigd kwam dat eruit. Hij had de blauwe ogen van zijn moeder. Dezelfde lange nerveuze vingers.

'Dat weet je niet,' zei ik. 'We weten niet wat er gebeurd is. Wat denk jij?'

Martijn haalde zijn schouders op. 'Ik weet alleen dat ik niets weet.'

'Voor je moeder is het net zo.'

'We kunnen er toch niet de hele tijd over praten,' zei hij. 'Ik moet ook leven.'

'Maar je moet er steeds aan denken?'

'Dat wel.'

'Praatte je vaak met hem?'

Om zijn mondhoeken trok een spottende glimlach. 'Over cijfers,' zei hij. 'Wat ik voor mijn proefwerken had gehaald, mijn rapportcijfers.'

'Maar nooit over andere dingen, zoals wij vroeger?'

'Wat niet in cijfers kan worden uitgedrukt heeft voor hem geen waarde.'

Ik lachte. 'Ja, Harry is een realist. En jij?'

'Hij wil dat ik ga studeren later. Maar misschien word ik wel meubelmaker.'

'Net als Ate, je overgrootvader,' zei ik.

'Grapje,' zei hij. 'Hoe moet ik nu al weten wat ik worden wil?'

'In ieder geval moet je wel naar school gaan.'

'Ik kan me niet concentreren,' zei hij. 'Daardoor komt het.'

‘Waar denk je dan aan?’

‘Dat mama zo’n verdriet heeft. Daar kan ik niet tegen.’

Ik knikte, wist even niet wat ik daarop moest antwoorden. Ik haalde mijn portemonnee tevoorschijn en stak hem een biljet van vijfentwintig gulden toe.

‘Ga maar eens lekker naar de bioscoop,’ zei ik. Ik stond op en liet hem met het vijfentwintigguldenbiljet op tafel achter.

Martijn probeerde zich groot te houden, maar eigenlijk was hij een angstig kind. ‘Er is toch niets met mama?’ Dat was zijn eerste vraag geweest.

‘Laat hem maar begaan,’ zou ik tegen Sandra zeggen. ‘Het komt wel weer goed. Praat er niet te veel met hem over. Hij voelt zich machteloos tegenover jouw verdriet. Denk eraan dat hij nog maar een kind is.’

6

27 maart 2000, een maandag zie ik hier. Ik was net bezig een licht loensende vrouw in een juchtleren jas een imitatie-Louis Quinze-tafeltje te verkopen waarvoor Ate de neus zou hebben opgehaald toen in mijn werkhok naast de ingang van De Oorsprong de telefoon ging. Ik liet de vrouw met het tafeltje alleen en liep terug naar wat Ate altijd het kantoor had genoemd, een verzamelplek met twee afgetrapte bureaus vol papieren en rekken met kleine voorwerpen die in de loods anders in het niet zouden vallen: groene porseleinen kikkers, twee platte tabaksdozen uit 1920, zilveren rammelaars met en zonder inscriptie, beschilderde vooroorlogse blikken bussen van Blooker en Droste. Ik nam de telefoon op.

'Ik heb net bericht van Missing Link gekregen,' klonk Sandra's stem. Ze praatte gehaast maar gedecideerd. 'Een e-mail. Iemand heeft zich bij hen gemeld die Harry heeft gezien. In een plaatsje ergens in Nova Scotia, Canada: Lenfield.'

Ik keek met de telefoon aan mijn oor door het raampje van het hok de hal in. De vrouw had kennelijk van de koop afgezien want ze stond niet meer bij het tafeltje met zijn gebogen poten.

'Heb je de politie gebeld?' vroeg ik.

'De politie,' zei ze minachtend. 'Die doen toch niets, hebben nooit wat gedaan.'

'Dus je hebt alleen mij gebeld?'

'Ik heb Missing Link direct teruggemaild en zij hebben mij het e-mailadres gegeven van de persoon die Harry heeft gezien. Ene Grady. Het is daar een uur of zes vroeger, dus voor het eind van de middag verwacht ik geen antwoord.'

'Weten ze het zeker?'

'Ze schreven me dat die persoon, die Grady, hem van de foto had herkend.'

Toen pas drong het tot me door dat Harry gevonden was, terecht.

'Wat fantastisch, Sandra! Ik kom na mijn werk direct naar je toe.'

De vrouw met de loshangende juchtleren jas was naar het tafeltje teruggekeerd.

'Er zit een barst in een van de pootjes,' zei ze.

'Hoe bedoelt u?'

Ik had moeite het gesprek voort te zetten. Ik ging op mijn hurken zitten en wreef met een vinger over de poot die de vrouw mij met haar grijze laarspunt misprijzend aanwees.

'Wat wilt u bij zo'n oud tafeltje,' zei ik. 'Maar u hoeft het niet te nemen.'

Ik schoof het tafeltje op zijn plek terug, wilde zo gauw mogelijk van dat mens af.

'Ik zal er over denken,' zei ze en verliet met besliste pasjes de hal.

Met twee hangsloten sloot ik De Oorsprong af en liep naar huis. Harry was gezien. In Canada. Wat deed hij daar in godsnaam? Maar het belangrijkste was dat hij in leven was. Als die man in Canada zich nu maar niet vergist had, die klap zou Sandra niet te boven komen.

Om mijzelf te kalmeren zette ik thuis een kop koffie. Zittend aan de keukentafel keek ik naar de weilanden achter mijn huis. Polderland, groen en vlak tot aan de horizon. Hier en daar staken kerktorentjes en molens erboven uit. Ik hield van de polder, vooral als er, zoals vandaag, grote donkergerande wolkenpartijen overheen zeilden. Dan was het alsof je zelf in beweging kwam.

Harry was terecht. Maar moesten we toch niet de politie inschakelen?

7

Sandra schudde beslist haar hoofd. Haar wangen gloeiden. Martijn was net van school en zat nagelbijtend tegenover zijn moeder aan tafel.

'Hier,' zei ze en legde een vel papier voor mij neer. 'Een e-mail van die Grady. Lees maar.'

Ja, meneer Grady leek volkomen zeker van zijn zaak. Hij wist ook waar Harry woonde, niet ver van zijn eigen huis. Hij was hem meerdere keren op de markt in Lenfield tegengekomen, had zelfs met hem gesproken.

Martijn haalde de Bosatlas erbij maar Lenfield was nergens in heel Canada te vinden.

'Misschien is het maar een klein dorpje,' zei ik, 'een gehucht.'

'Ik heb hem meteen teruggemaild.'

Een kwartier later kwam het antwoord. Het leek meneer Grady beter als zij eerst bij hem langskwam voordat ze naar Harry ging. Hij woonde in Old Byrtle, een boerderij aan de weg tussen Lenfield en Canso. Ze kon het best naar Halifax vliegen, daar een auto huren en dan Highway 7 naar het noorden nemen. Via Dartmoor en Tangier kwam je dan in Sherbrooke Village. Vandaar volgde je de borden Canso tot je zo'n veertig kilometer verder aan de rechterkant van de snelweg een Texaco-station zag liggen. Vlak daarna was een afslag naar Lenfield. Bij de tweede zijweg, na een kilometer of tien, als de weg een bocht terug naar de kust maakte, stond een kleiner bord met 'Old Byrtle' erop. Als zij die weg afreed kwam ze bij een boerderij. Daar woonde hij, meneer Grady.

'Waarom geeft hij me niet meteen Harry's telefoonnummer?'

'Misschien heeft Harry geen telefoon.'

'Waarom moet ik eerst naar iemand toe die ik helemaal niet ken?'

'Ik weet ook niet of jij wel moet gaan,' zei ik.

Haar mond viel open, alsof ze naar adem moest happen.

'Het lijkt me beter dat ik eerst ga,' zei ik. 'Ik reis zo snel ik kan naar Canada en laat je meteen weten hoe het ervoor staat. En er moet tenslotte iemand bij Martijn blijven.'

'Kan ik niet mee?' zei Martijn. 'Misschien kan ik wel vrij krijgen.'

Sandra steunde haar hoofd in haar handen.

'Het is te veel,' zei ze. 'Ik kan het niet bevatten. Eerst maandenlang niets en nu opeens...'

'Daarom,' zei ik. 'Het zou veel te emotioneel zijn. Je weet niet wat er in al die tijd is voorgevallen.'

'En hoe wou jij het met De Oorsprong doen, met je huis?'

'Er zijn sloten en er zijn sleutels,' zei ik.

Ik hing een bord op de deur van de loods, 'wegens omstandigheden gesloten', boekte bij een reisbureau in Alkmaar een reis naar Halifax. De negenentwintigste vertrok ik.

V

1

De enige Canadezen die ik ooit gezien had waren soldaten die staande in de open koepels van tanks en op pantserwagens in volle vaart langs het Noord-Hollands Kanaal naar Alkmaar reden. Ik was acht en het hele gezin was op Ates paard en wagen geklommen om getuige te zijn van de intocht. Onze bevrijders. Ze kwamen over de Afsluitdijk en reden via Den Helder naar Alkmaar. Ik herinner me dat het lang duurde voor ze kwamen. Toen het tenslotte zover was, was ik teleurgesteld dat de meeste soldaten hun helm niet ophadden. Zo, met ontbloot hoofd of met een baret scheef op het hoofd, waren het toch geen echte soldaten. Ze gooiden chocoladerepen en pakjes sigaretten naar de mensen langs de kant van de weg. Voordat ik het wist waren ze voorbij. Was dat nu alles? De volwassenen waren uitgelaten, maar zelf was ik bedroefd dat het tijdperk van overvliegende bommenwerpers en neerdwarrelende stroken zilverpapier voorbij was.

Toen ik in Toronto aankwam en in de vertrekhal twee uur moest wachten op het vliegtuig dat mij naar Halifax zou brengen leken de mensen om mij heen op Amerikanen zoals ik ze uit films kende: felgekleurde jacks, spijkerbroeken, laarzen. Iedereen sprak luidkeels, alsof ze elkaar voortdurend wilden overstemmen.

Twee uur later landde ik in Halifax. Vliegvelden zijn geen plekken met een eigen karakter, maar doorgangsgebieden zoals snelwegen, tunnels of vluchtheuvels. Ze hechten zich niet in je herinnering. Ik haalde de routebeschrijving van meneer Grady tevoorschijn, huurde een Ford Mustang bij Avis en oefende samen met de instructeur op een enorm parkeerterrein het rijden met een automaat.

De auto deed zijn naam eer aan. Keer op keer schoot ik zo gauw ik gas gaf met een schok naar voren. De instructeur lachte, deed me voor hoe ik het gaspedaal heel voorzichtig moest indrukken, de motor schakelde dan vanzelf in de juiste versnelling. 'En denk eraan dat u in Canada niet harder dan negentig kilometer per uur mag rijden,' zei hij toen hij mij de sleuteltjes overhandigde en een goede reis toewenste.

Tot mijn verbazing hield iedereen op de vierbaansweg zich aan de maximumsnelheid. Bij Dartmoor volgde ik de bordjes met 'Highway 7', een wat bescheidener rijksweg met maar twee rijstroken. De industrieterreinen maakten plaats voor weilanden en bossen, meest dennen. Her en der in het heuvelachtige landschap stonden houten huizen waarvan de kleur rood aan geronnen bloed deed denken. De meeste huizen hadden een spierwitte veranda.

Ik kwam langs motels met schreeuwerige reclameborden waarop de kamerprijzen dik onderstreept waren en langs benzinestations, met meestal een kleine supermarkt ernaast. Ik bleef op de rechterrijstrook en luisterde naar de radio die popmuziek uitzond afgewisseld met verkeersinformatie en het weerbericht. Ik reed naar het noorden waar wat buien in het vooruitzicht werden gesteld. Maar voorlopig was het mooi zonnig weer. Zo nu en dan zag ik rechts voor mij de zee glinsteren.

Bij Sherbrooke Village parkeerde ik de auto bij een wegrestaurant en bestelde een hamburger die in een mandje werd geserveerd door een meisje dat een tatoeage van een anker op haar rechterbovenarm droeg. Ze vroeg waar ik vandaan kwam.

'Obdam,' zei ik, 'een dorpje in Nederland.'

'Bent u hier voor vakantie?'

'Ja,' zei ik, 'ik ga mijn zoon opzoeken.'

'Er wonen veel Nederlanders in Canada.'

Ik knikte dat ik dat wist.

'Hardwerkende mensen,' zei ze waarderend terwijl ze met een doekje een klodder ketchup van mijn tafeltje veegde en vriendelijk knikkend terugliep naar de toonbank waarop in een vitrine enorme taartpunten langzaam ronddraaiden.

Na Sherbrooke Village volgde ik het bord dat in de richting van Canso wees. Canada zag er vriendelijk uit. Toch begon ik zenuwachtig te worden. Binnen niet al te lange tijd zou ik een Texaco-tankstation tegenkomen en daarna volgde de afslag naar Lenfield. De weg liep weer langs de kust. Op de horizonlijn zag ik een paar tankers liggen. Het was niet te zien of zij voeren of voor anker lagen. Alle koeien in de weilanden waren roodbont. Koeien zijn koeien. Overal kijken ze je even diepzinnig aan.

Het vuurrode tankstation diende zich aan en ik vond zonder moeite de afslag naar Lenfield. Dit was een tweebaansweg die dwars door dennenbossen voerde. Links en rechts lagen enorme stapels boomstammen, huizen vielen er niet meer te bekennen. Bij ieder zijweggetje hield ik in om de zelfgemaakte naambordjes te bestuderen. Naast die bordjes stonden rijen gele brievenbussen, een enkele in een afwijkende kleur: rood of groen.

Ik begon er net aan te twijfelen of ik het bordje met 'Old Byrtle' niet al voorbij was, toen het toch nog opdook. 'Old Byrtle' met daaronder een zwarte pijl. Ik draaide de auto het pad op en reed langzaam verder. De weg hield op bij een okergeel geschilderd huis. Ernaast stonden twee ongeverfde schuren met de deuren open. Achter het hellende grasland kon je de zee horen. Als het goed was moest hier de heer Grady wonen. Ik reed het erf op en parkeerde de auto naast een lege waslijn. Voor de veranda stond een hondenhok waar een stofzuigerslang uit stak. Ik stapte uit en liep naar de veranda. Ik riep zijn naam. 'Mister Grady, mister Grady!'

De man die in de deuropening verscheen liep op blote voeten. Hij had een wijnfles in zijn ene hand en wreef met zijn andere hand langs zijn ogen. Zijn donkerblonde haar piekte alle kanten op. Het was duidelijk dat ik meneer Grady in zijn middagslaap gestoord had. Of bij het uitslapen van zijn roes want toen ik vlak voor hem stond rook ik de weeïge lucht van alcohol. Ik stak mijn hand uit. Meneer Grady had grote sterke handen. Zijn gezicht was verweerd door het buitenleven. Toen hij zich voorstelde zag ik dat hij gele tanden had.

Ik had mij geen voorstelling van meneer Grady gemaakt. Tenminste, dat dacht ik. Nu ik achter de man het huis binnenging moest ik het beeld van een florerende Canadese boer bijstellen tot dat van een wat onbestemde zwerver met fonkelende groene ogen en een luide, raspende stem. Zelf was ik niet klein, maar Grady stak toch ruim een kop boven mij uit. Hij plantte de fles op tafel. Ik ging zitten en haalde mijn portefeuille tevoorschijn.

Wist Grady wel zeker dat hij deze man eerder had gezien? Ik liet hem de pasfoto van Harry zien.

'Geen twijfel mogelijk. Eerlijk gezegd had ik gedacht dat Harry's vrouw zou komen,' zei hij. 'Die van de e-mail.'

'Ik vond het beter eerst zelf te komen. Ik ben Harry's vader.'

Grady knikte en wreef met zijn rechterhand over zijn stoppelige wangen.

'Dat is heel verstandig,' zei hij. 'Heel verstandig. U zult het niet geweten hebben, maar misschien had u zo een voorgevoel.'

'Een voorgevoel? Hoe bedoelt u? Het gaat toch wel goed met hem?'

Grady grijnsde. 'Hij is kerngezond,' zei hij. 'Maar niet alleen. Hij woont daarginds met een vrouw. Of vrouw, Tracy is twintig.'

'Jezus,' zei ik, 'een vrouw.'

'Dat had u niet verwacht?'

'Ik had niet verwacht dat Harry... hij met een andere vrouw.'

'Het leven is soms net een damesromannetje,' zei Grady.

Ik knikte en zweeg.

'Daarom vroeg ik of mevrouw eerst naar mij toe wilde komen voordat we naar hem zouden gaan.'

'Maar... maar wat doet hij daar met die vrouw?'

'Tja, wat doet een man van veertig met een jonge blom? Werken in ieder geval niet. Waar hij zijn geld vandaan haalt heeft hij me nooit verteld.' Grady stond op. 'We kunnen beter meteen gaan.'

2

'Laat mij maar rijden,' zei Grady. 'Ik weet de weg.'

Ik keek naar zijn vieze grote voeten op de pedalen. Zou hij nooit schoenen dragen?

'Ik ken ze van de markt in Lenfield,' zei Grady.

'U bent marktkoopman?'

'Dat is een groot woord,' zei Grady. 'Maar inderdaad, ik verkoop wel eens wat. En wat doet u als ik vragen mag?'

'Ik handel in tweedehands meubelen.'

'Interessant,' zei Grady. 'Hier zijn veel veilingen, garage sales en zo. De mensen sterven en hun meubels blijven achter.'

Ik zag dat hij de fles mee had genomen. Nee, ik wilde geen slok. Ik keek Grady van opzij aan. Zijn mond vertoonde een verbeten trek. Hij leek gespannen. Hij had Harry's verblijfplaats bekend gemaakt. En wat er vervolgens ging gebeuren had hij niet in de hand.

'Ze wonen redelijk afgelegen,' zei hij. 'Als je het niet weet vind je het huis niet. Het heeft jaren leeg gestaan. Harry kon het zowat voor niks huren.'

De wegen werden steeds smaller.

'Allemaal timberwegen,' zei Grady, 'boswegen voor de houthakkers. Meer aan de kust leven ze van het toerisme. Er komen hier nogal wat mensen om naar de walvissen te kijken. Of op tonijn te vissen. Kijk,' zei hij, 'ziet u

dat ven daar tussen de bomen? Daarachter ligt hun huis.
Je kunt het van de weg af haast niet zien.'

3

Als ik aan dat moment terugdenk, de confrontatie, heeft die plaats in een andere kamer dan die waarin ik nu zit en naar het heldere harde winterweer buiten kijk, zie hoe twee mezen in golvende vlucht de ene voor de andere kale berkenboom verwisselen. Het is dezelfde kamer, maar ze heeft veel meer dimensie gekregen, diepte, teweeggebracht door mijn dagelijkse gang tussen de schaarse meubels. Gewoontevorming heeft mijn eerste aanblik vertroebeld. Bij de eerste aanblik moet de kamer mij zijn voorgekomen als het decor voor een slecht toneelstuk.

Harry stond achter de keukentafel, vlak voor het raam. Tracy was bezig de vloer te vegen, de gele bezem in haar handen geklemd. En aan weerskanten van de open deur stonden Bruce Grady en ik, de boodschappers van buiten. Harry had ons uit zien stappen. Toch draaide hij zich nog niet om. Net een kind dat denkt dat wat hij niet ziet ook niet bestaat. Zijn vader, helemaal van Obdam naar Canada gekomen. Tracy die de bezem in een hoek zette, met beide handen aan haar haar friemelde met een onzeker lachje om haar mooie mond. ‘Harry,’ zei ze met een wat schorre stem, ‘ik geloof dat er iemand voor je is.’

Pas toen draaide hij zich om. In mijn voorstelling droeg hij nog steeds het pak dat hij op de dag van zijn verdwijning aanhad, maar nu had hij een grijze sweater, een blauwe spijkerbroek en leren sandalen aan. Hij was magerder geworden, zijn kin stak nog scherper naar voren. Maar het gedecideerde in zijn gedrag was verdwenen, hij keek mij als een betrapt kind aan. Ik liep op hem toe en sloeg mijn armen om hem heen. Hij voelde stijf als een plank.

'We zijn zo blij dat we je gevonden hebben.'

Ik hield hem op armafstand en keek hem in zijn ogen.

'Zou je me niet eens voorstellen aan de jongedame hier,' zei ik zo luchtig mogelijk om de spanning te breken.

Kamers houden niets vast van de gebeurtenissen die er zich in hebben afgespeeld. Tegen het muurtje tussen de twee ramen hing de kalender van een vrachtwagenbedrijf. Ik zou de bladen terug kunnen slaan tot maart: een rode truck met een jongedame in een geel badpak die loom en gewillig tegen de motorkap leunt. Ik denk niet dat iemand die afbeelding op dat moment zag. Op de hoek van deze tafel lag toen een broodplank vol kruimels en stonden twee lege glazen waarin nog een aanslag van melk zat.

Harry hield zijn armen als een blinde voor zich uit. Hij probeerde iets te zeggen maar bracht niets uit. Dus nam ik het woord maar.

'Ik ben Stijn,' zei ik tegen het meisje, 'Harry's vader.'

'Ik heet Tracy,' zei ze en kwam mij met uitgestoken hand tegemoet. 'Mijn voornaam is Engels, maar mijn achternaam is oer-Hollands: Tuin, Tracy Tuin.'

Ze droeg een poloshirt. Toen ze me een hand gaf zag ik een plukje donker okselhaar. Ze ging van het ene been op het andere staan, haar borsten wiebelden vrijelijk onder het shirt. Net als Grady liep ze op blote voeten. Haar teennagels waren donkerblauw gelakt, haar vingernagels vuurrood. Haar groene ogen keken mij geamuseerd aan.

'Dus ze durfde niet,' zei ze. 'Sandra durfde niet te komen.'

Ik deed een stap naar achteren, keek naar Bruce Grady die met zijn rug tegen het aanrecht stond geleund en zijn zwarte nagels bestudeerde.

'Integendeel,' zei ik. 'Het leek ons allebei beter als ik eerst zou gaan. Stel dat meneer Grady zich had vergist? Zou ik Sandra even mogen bellen?'

'We hebben geen telefoon,' zei Harry. 'Ik ga straks naar de dorpswinkel. Dan bel ik zelf wel.'

'Dat had je dus negen maanden geleden ook kunnen doen,' zei ik.

'Nee,' zei hij. 'Nee, pa. Toen niet.'

'Je bent een lul,' zei Tracy. 'Weet je dat?'

Bruce Grady drukte zich van het aanrecht naar voren. 'Come on, Tracy. Die twee hebben het een en ander te bespreken.'

'Dat dacht ik ook,' zei ze. Haar Engels was vrijwel accentloos.

Toen ze achter Grady de keuken uit liep keek ze over haar schouder, alsof ze dit vertrek nog een allerlaatste keer in ogenschouw wilde nemen.

'Je slippers staan op de veranda,' zei Harry. Dat klonk inderdaad buitengewoon lullig.

VI

1

Het enige in dit huis wat aan hen herinnert: haar gerafelde bh'tje in de onderste la van de ruwhouten klerenkast boven, Harry's blauwe spijkerbroek met glimmende knieën, zijn kapotte grijze sweater en een paar uitgelopen leren sandalen.

Ik zei dat hij meteen de auto moest pakken en naar die winkel moest rijden om Sandra te bellen. Hij schudde zijn hoofd.

'Dat gaat niet,' zei hij. 'Nu nog niet.'

'Misschien kun je het dan eerst aan mij vertellen. Bij wijze van oefening,' voegde ik er sarcastisch aan toe.

De keukendeur stond open en vanaf de veranda klonk gekwinkeleer van vogels en soms, vanuit de verte, het blaffen van een hond, het ronken van een schakelende vrachtwagen op de weg achter het bos. Twee van de gele bekers die op een rijtje boven het fornuis op een plankje staan, stonden tussen ons in gevuld met koffie die langzaam koud werd. Hij schoof op zijn stoel heen en weer, zijn ogen probeerden mij te ontwijken. Hij leek een dier dat een vluchtweg zocht. Ooit was hij makelaar geweest.

'Wat bezielde je in godsnaam?'

Hij boog zijn hoofd, keek tussen zijn knieën door naar de planken vloer en mompelde iets dat ik niet helemaal verstond. Verdwenen, dat verstond ik. Wat verdwenen?

Nu keek hij mij aan. Zijn hoge voorhoofd glom, zijn

wangen gloeiden. Half dichtgeknepen ogen. Hij greep met beide handen de tafelrand vast – daar waar die zwarte olievlek zit die ik er op een dag heb gemaakt nadat ik een bougie in de pick-up had verwisseld – hij greep de rand vast alsof hij anders in een afgrond zou storten. Een ogenblik zag hij eruit als het jongetje dat hij geweest was en dat nu schuldbewust op zijn straf wacht.

'Ik weet niet hoe ik over iets moet praten wat verdwenen is,' zei hij.

'Wat bedoel je?'

'Op een dag was het er niet meer. De rede was verdwenen.'

Hij keek door de deuropening naar de veranda waar de ijzeren vuilnisemmer met het geribbelde deksel stond. Nu ligt er een laagje sneeuw op.

'Tracy en ik,' zei hij. 'Het was alsof we uit een droom ontwaakten. Plotseling was alles koud en naakt. We keken elkaar als vreemden aan.'

'Je bedoelt dat je berouw kreeg?'

'Pa, ben jij wel eens verliefd geweest?'

'Niet op iemand anders dan Geesje.'

Ik zag dat hij bij het noemen van die naam even schrok. Een donkere, donzige dar vloog hoogzoemend de keuken binnen, draaide nerveus zoekend een rondje en vond toen de weg naar buiten terug.

'Je kunt van iemand houden zonder dat je verliefd bent,' zei hij.

'Verliefdheid is iets dat voorbijgaat,' zei ik.

Dit was niet de taal die hij gewend was te spreken. En de mijne evenmin. Twee mannen, vader en zoon, die zich ongemakkelijk voelen. Hij zuchtte.

'Ik wist niet dat het bestond,' zei hij, 'tot ik Tracy ontmoette. Ik dacht dat ik verliefd was, op Sandra.'

'Je houdt niet meer van haar?'

Ik voelde me ijskoud worden. Als dat zo was zou hij niet meer naar haar teruggaan.

Hij schudde zijn hoofd, stond op en ging met zijn rug naar mij toe voor het raam staan.

'Nee,' zei hij. 'Dat is het niet. De laatste tijd heb ik veel aan haar en aan Martijn gedacht.'

'Gedacht ja,' zei ik, 'maar gedaan heb je niets. Besef je wel in wat voor angsten we gezeten hebben? Begrijp je niet dat we dachten dat je dood was?'

Hij draaide zich om, trok zijn wenkbrauwen op.

'Dood ja. Of vermoord.' Ik schreeuwde bijna.

Een zenuwachtig lachje trok om zijn mond.

'Waarom zou ik dood zijn?'

'Waarom niet?' zei ik, 'Geesje is ook dood.' Ik had die woorden vaak gedacht, maar nu ik ze uitsprak werd ik zo duizelig dat ook ik mij aan de tafelrand moest vasthouden.

'Het spijt me,' zei hij, 'het spijt me als jullie dat dachten.' Hij liep door de keukendeur de veranda op.

'Nou niet weer weglopen,' riep ik.

Ik stond op en ging hem achterna. Hij stond op de veranda, steunde met beide handen op de balustrade en keek over de braakliggende akker naar de bosrand. Ik ging op de krakende rieten bank achter hem zitten en sloeg mijn handen in elkaar.

'Nou, komt er nog wat van?'

'Ik ga terug,' zei hij. 'Vandaag nog. Ik weet niet wat mij bezielde. Het lijkt alsof het een ander is overkomen, niet mij.'

'Een mens heeft maar één leven,' zei ik. 'En daar is hij

verantwoordelijk voor.'

Hij draaide zich om en glimlachte.

'Nee,' zei hij, 'dat is niet zo. Dat denken mensen omdat het leven op die manier overzichtelijk lijkt, voorspelbaar. Zo dacht ik ook. Tot Tracy. Ik kon gewoon uit mijn leven stappen en een ander beginnen. Dat was het ongelofelijke, dat je van de bestaande weg kon afwijken, van de gebaande paden. Er zijn geen woorden voor dat gevoel.'

Toen vroeg hij of ik een gebakken ei wilde.

'Waarom niet,' zei ik.

Terwijl hij de eieren stuksloeg en ze in de koekenpan liet glijden dacht ik na. Hij had gezegd dat hij terugging, maar hoe wist ik dat hij niet loog? Ik besloot grootmoedig te zijn, hem als een man, niet langer als een kind, te behandelen.

'Kijk,' zei ik, 'overspel, dat komt voor. Maar moest je daarvoor het land uit, verdwijnen, zonder een spoor achter te laten?'

'Het was Tracy's idee.'

Hij sneed twee boterhammen af.

'Ja, geef haar maar de schuld. Wat is dat eigenlijk voor een meid?'

We zaten tegenover elkaar. Een tijdje aten we zwijgend.

'Ze was heel bijzonder,' zei hij tenslotte.

'Was. En nu?'

'Dat probeer ik je de hele tijd uit te leggen.'

'Ik begrijp het niet,' zei ik en schoof mijn bord opzij. 'Ik begrijp er nog steeds niets van. Wat wilde je dan?'

Ook hij was klaar met eten. Hij stapelde de lege borden op en zette ze in de gootsteen. Witte borden met een gouden randje. Een ervan is intussen gesneuveld.

'Misschien is het voor jou moeilijk te begrijpen,' zei hij. 'Dat je je leven kunt verruilen voor een ander.'

'Dat is een illusie,' zei ik.

'Misschien,' zei hij, 'maar dat leek het toen niet.'

'Wanneer is het begonnen, dat met Tracy?'

'In april,' zei hij. 'Ze zocht een huis. Ze stond op het punt te gaan trouwen.'

'En toen ontmoette ze jou en hup...'

'Het kwam van twee kanten.'

'En dus haalde je dertigduizend gulden van je spaarrekening.'

'Dat was pas later. Nadat...'

'Ik weet wat je zeggen wilt. Toen je Geesje begraven had en ik in coma lag dacht je: dit is het moment.'

'Dat had er niets mee te maken,' zei hij afgemeten. Zijn lippen trokken strak, in zijn hals verschenen rode vlekken. 'Ik was mijzelf niet in die tijd. Misschien was ik zelfs bang, maar het moest gebeuren, ik moest me in dat avontuur storten.'

'En Sandra dan, Martijn?'

'Ik leefde in een andere wereld,' zei hij. 'Een wereld waarin alleen Tracy en ik bestonden.'

'En die andere wereld was hier, in Canada, Nova Scotia, in the middle of nowhere?'

'Dat was Tracy's idee.'

'Alles lijkt wel Tracy's idee.'

'Ze was wel eens in Canada geweest.'

'En jullie dachten: daar vinden ze ons nooit.'

Hij zweeg, veegde zijn handen aan zijn sweater af.

'Hoe is het met Sandra?' vroeg hij.

'In de war,' zei ik, 'verdrietig. En als ze dit hoort...'

'Het is afgelopen,' zei hij. 'Tussen Tracy en mij dan. Maandenlang konden we niet buiten elkaar, geen minuut. Tot we langzaam veranderden in twee mensen met hun eigen gedachten, met een leeftijdsverschil van bijna twintig jaar. Op een dag stonden we er alleen voor, zij daar, ik hier.'

Ik keek op mijn horloge.

'Je moet gaan,' zei ik. 'Als je nog wilt bellen tenminste.'

Harry knikte. 'Ik ga me verkleden,' zei hij.

Ik zat aan de keukentafel en hoorde hem boven lopen. Een ordinaire liefdesgeschiedenis, zoals je die wel eens op tv zag. Die dingen gebeurden, maar van Harry had ik zoiets nooit verwacht, punctueel als hij was. Dat dachten Sandra en ik. Maar niets was zeker als het over mensen ging, zelfs niet bij je eigen zoon.

Toen hij naar beneden kwam, een grijze koffer in zijn hand, schrok ik. Hij zag er precies zo uit als in het signalement zoals dat door Missing Link verspreid was. Donkerblauw kostuum, wit overhemd met roze stropdas, zwarte leren schoenen zonder werkje. Ik wist nu dat hij één meter vierenzeventig lang was en circa drieënzeventig kilo woog. Waarschijnlijk nu iets minder. Harry Bekkering, mijn zoon. Vermist en teruggevonden. Als door een wonder.

Hij zette zijn koffer neer.

'Ik ga terug,' zei hij. 'Nu meteen. Het is het beste zo. Ik bel Sandra wel als ik in Halifax ben en een ticket heb gekocht. Kan ik die huurauto meenemen? Dan breng ik hem gelijk voor je terug.'

Harry had ze weer allemaal op een rijtje. Hij zag dat ik aarzelde. 'Of als je mee terug wil... In dat geval kunnen we samen gaan.'

'Nee,' zei ik. 'Ik wil hier niet als een dief in de nacht wegsluipen. In ieder geval wil ik die Bruce nog bedanken.'

'Ik begrijp nog steeds niet hoe hij Sandra gevonden heeft,' zei Harry peinzend.

'Wat doet dat er nog toe?' zei ik.

Ik gaf hem het autosleuteltje en de autopapieren. Hij legde op zijn beurt een autosleutel aan een zwarte plastic ring op tafel.

'Dit is het sleuteltje van de pick-up. Geef maar aan Tracy dan kan zij jou later naar het vliegveld rijden.'

'Daar zal ze blij mee zijn,' zei ik. 'Moet je niet fatsoenlijk afscheid van haar nemen?'

'Dat heb ik al gedaan,' zei hij.

'Een afgesloten hoofdstuk dus,' zei ik.

'Zo zou je het kunnen zien,' zei hij.

Hij pakte zijn koffer op en strekte zijn hand naar mij uit. Een man die zijn missie volbracht heeft. Wat haatte ik hem op dat moment. Ik liep met hem mee tot op de veranda.

'Wees voorzichtig,' zei ik. 'Ook door de telefoon.'

Toen de auto achter de bosrand verdwenen was, draaide ik mij om. Jezus, wat moest ik hier. Waarom was ik niet mee teruggegaan, wat had ik hier verder te zoeken nu Harry terecht was?

2

Als ik aan dat gesprek terugdenk was het eigenlijk helemaal geen gesprek. Hij wilde of kon niet vertellen wat hem bezield had en ik wilde en kon er niet naar vragen. Misschien was ik daarvoor te kwaad.

Ik waste de twee borden af en zette ze in een plastic droogrek. Toen liep ik de woonkamer tegenover de keuken in. Er lagen wat oude kranten op tafel. De *Lenfield News* en een oud nummer van *The New York Times.* Op de tv stond een lege blauwe vaas. In de boekenkast lagen twee telefoonboeken en een stapeltje *Reader's Digest*; een leeg plastic yoghurtbekertje slingerde rond tussen de bruine kussens op de versleten leren bank. Naast de bank een oude buizenradio op een bijzettafeltje. Hier hadden ze dus al die tijd gewoond. Aan elkaar verslingerd, als ik Harry mocht geloven. Ze moest toch iets speciaals hebben als ze zo'n strikte man als Harry uit zijn evenwicht had weten te brengen, hem zo ver had gekregen dat hij zijn vrouw en kind in de steek had gelaten. Terwijl ik in coma lag had hij dus met die meid in bed gelegen. Die gedachte kon ik maar niet uit mijn hoofd zetten.

Ik ging naar buiten en liep om het huis heen. Hier en daar was de roestrode verf van de planken gebladderd. De daklijst was wit en strak, zonder de gezaagde versieringen die bij ons in Obdam gewoon waren.

Soms droom ik over die Noord-Hollandse huizen met hun mosgroene houten bovengevels en smalle ramen, de platbodems volgestapeld met kool of bieten die naar de markt in Broek op Langendijk werden geboomd.

Hier wordt het land niet meer bewerkt. Tegen de avond zie je de opwippende witte kontjes van konijnen die zich aan het onkruid te goed doen. Nu niet, de sneeuw heeft alles toegedekt. Ik steek de lamp aan en laat het buitenlicht branden.

Ik herinner mij dansavonden in de achterzaal van café De Zwaan in de Beemster. We waren net verloofd, Geesje en ik, en ik was stinkend jaloers als ze met een andere man danste. In het zaaltje rook het naar parfum en zweet. Een dikke accordeonist en een slagwerker op een heel klein podium. Aan weerszijden stond een in mosgroen crêpepapier gewikkelde sierpalm.

Achter een bollenschuur, de eerste keer. Ze was bang en ik kwam veel te vlug klaar. Toen we eenmaal getrouwd waren hoefden we niet meer te betalen als we gingen dansen, in Middenbeemster of in een van de andere dorpen als het kermis was in augustus. Een heel klein kermisje was het met maar één zweefmolen en wat goktenten. Naast de ingang van het café stond een met de hand beschreven kartonnen bord. 'Heren 50 cent, meisjes en echtparen gratis.' Later op de avond namen de vrouwen de mannen op hun rug en hosten ze in een polonaise rond het biljart. Daar deden Geesje en ik nooit aan mee. Het zijn herinneringen die ik met niemand kan delen.

Toen ik na die lange autorit vanuit Halifax bij Bruce aankwam kon ik nog niet aan zulke dingen denken. Mijn ogen brandden van de slaap en het kan best dat ik in die ene doorgezakte fauteuil waar ik nu weer in zit voor de televisie in slaap ben gevallen. Ik schrok die avond wakker van iemand die op de veranda zijn schoenen uit schopte, de deurklink vastgreep en het halletje binnenstommelde.

Ik zag in één oogopslag dat Tracy dronken was. Haar zwarte T-shirt was te kort zodat ik haar navel zag. Met haar rug zocht ze houvast bij de houten aanrecht, ze kneep haar ogen tot spleetjes.

'Sorry,' zei ze, 'ik zie u twee keer. Waar is Harry?'

Ik stond op, pakte haar hand en leidde haar naar de tafel.

'Ga eerst eens rustig zitten.'

'Waar is Harry?' Ze trommelde met haar vuisten op tafel. Haar mascara was doorgelopen. Ze zag eruit als een actrice uit een stomme film.

'Ik zal eerst koffiezetten.'

Ik moet toegeven dat ik mij even oppermachtig voelde. En wraakzuchtig. Toen ik met de mokken koffie terugkwam lag ze met haar hoofd voorover op tafel te slapen. Ik pakte haar bij een schouder en schudde haar door elkaar. Ze keek me verdwaasd aan, krulde voorzichtig haar lange vingers rond de mok, de mok met het esdoornblad, het wapen van Canada. In haar hals zat een ronde rode plek.

'Harry is terug,' zei ik. 'Terug naar Nederland.'

Ze zwaaide met haar handen, alsof ze iets wegwuifde.

'Dag Harry,' fluisterde ze, 'allerliefste klootzak van me.'

Ik was er niet zeker van of ze zich van mijn aanwezigheid bewust was. Ze keek mij lodderig aan.

'Klootzak,' zei ze.

'Hij is weg,' zei ik. 'Terug naar zijn gezin.'

'Wilt u dat woord nooit meer in mijn bijzijn bezigen?'

Het klonk als een zin uit een boek, iets dat ze vanbuiten had geleerd.

'Toch is het zo,' zei ik. 'Drink nu maar eerst je koffie.'

Ze deed wat ik gezegd had. Het zag eruit alsof ze nadacht terwijl ze met getuite lippen in de mok blies. Ze nam voorzichtig een slokje en begon te lachen.

'Daar zitten we dan. Eigenlijk kwam u als geroepen. Hij was het toch al van plan. U moet vooral niet denken dat het door u komt, dat hij braaf deed wat zijn vader zei.'

'Ik heb helemaal niets in die richting gezegd.'

Weer kneep zij haar ogen tot spleetjes.

'Zie je me nog steeds dubbel?'

'Klootzak,' mompelde ze. Ze hees zich omhoog, wankelde even en hervond haar evenwicht.

'Waar is Harry?' vroeg ze nog een keer.

Ze draaide zich om en riep zijn naam. Ik bleef zitten en zag hoe ze de trap op strompelde. Toen ik een halfuur later naar boven ging lag ze met haar kleren aan op haar buik te slapen. Boven was nog een slaapkamer, die uitzag op het bos. Ik kleedde me uit en kroop in het eenpersoonsbed. De lakens waren ijskoud, net als nu.

Echte winters heb ik in Nederland al jaren niet meer meegemaakt. Op het ven in de buurt spelen jongetjes met ijsmutsen of helmen op tot het donker wordt ijshockey. De puck schiet slissend over het ijs heen en weer. Soms loop ik helemaal tot beneden aan de weg en kijk ik naar de auto's die voorbijkomen. Ik zwaai en de mensen in de auto's zwaaien terug.

3

De ochtend erna was ik als eerste beneden. Ik zette koffie en ging op de bank op de veranda zitten. Een groepje kraaien vloog krassend op en verdween in de richting van het bos. Harry zou wel onderweg naar huis zijn. Met welbehagen snoof ik de geur van al het groen om mij heen op. Vanaf de weg was dit huis niet te zien. Een perfecte schuilplaats voor mensen die iets te verbergen hadden.

Ze ging naast me zitten zonder een woord te zeggen, stak een sigaret op en blies de rook venijnig naar buiten, een langgerekte grijze sliert. Haar korte zwarte haar was nog vochtig van de douche.

'Hoe voel je je?' vroeg ik.

'Beroerd,' zei ze. 'Was ik erg dronken?'

Ik knikte.

'Wat zei Harry?' vroeg ze. 'Heeft hij nog iets gezegd of hield hij zoals gewoonlijk zijn mond.'

'Dat klinkt niet alsof je erg dol op hem bent.'

'Ik wil het weten,' zei ze.

'Hij zei dat jullie uit een droom waren ontwaakt, ieder voor zich. Zoiets zei hij.'

Ze ging met haar handen door haar haar, draaide zich toen half naar mij om.

'Dus dat zei hij: een droom.'

'Zoiets, ik begreep niet helemaal wat hij bedoelde.'

'Dromen zijn bedrog,' zei ze, 'maar dit was geen bedrog. Wat hij ook doet, hij zal mij nooit meer kunnen vergeten.'

'Moet dat dan?'

'Hij is terug naar zijn vrouw.'

'Het is maar de vraag of Sandra hem nog wil.'

Ze keek me met schuin gehouden hoofd aan.

'U praat anders ook niet erg aardig over uw zoon.'

'Was het jouw idee om met hem op de loop te gaan?'

'Heeft hij dat gezegd?'

'Hij zei dat het jouw idee was. "Het was Tracy's idee," zei hij.'

'Zulke dingen beslis je samen.'

'Welke dingen?'

'Om je los te maken,' zei ze, 'alleen nog maar elkaar te hebben. Daar hadden we voor gekozen, hij net zo goed als ik.'

'Heb je er geen spijt van?'

'Dat woord ken ik niet.'

Ze stond op, trapte haar peuk uit en schoot haar slippers aan.

'Ik ga wandelen.'

'Waarheen?'

'Wat kan u dat schelen?'

Ik zag haar wegbenen, in gevecht met haar kater.

4

Acht dagen na Harry's vertrek kwam er een brief van Sandra. Tracy kwam ermee aan.

'Lieve Stijn,

Ik kan je niet vertellen hoe blij en opgelucht ik mij voelde toen ik Harry's stem hoorde. Gek dat ik mij de dagen van wanhoop al bijna niet meer kan voorstellen, de dagen dat ik echt dacht dat hij dood was. Hij heeft me alles verteld en ik heb hem vergeven. Als iemand uit de dood terugkeert kun je toch niet anders? Harry zei dat je niet direct mee terug wilde. Misschien is het goed als je eens vakantie neemt, andere dingen ziet. Laat ons weten als je geld nodig hebt, dan stuurt Harry dat meteen. Met Martijn is alles goed. Hij is blijer om de terugkomst van zijn vader dan hij zichzelf toestaat te tonen. Laat gauw iets van je horen. Liefs van ons allen. Sandra.'

'Mag ik hem lezen?' vroeg Tracy.

'Waarom niet.'

Ze las de brief en vouwde hem toen in vieren.

'Wat voor vrouw is die Sandra?'

'Een pittige meid, zoals wij dat bij ons zeggen, een echte Noord-Hollandse. Groot, blauwe ogen. Blond haar.'

'Ja, maar wat voor vrouw?'

Ik zweeg, dacht na.

'Denk erom,' zei ze, 'alles wat u zegt kan tegen u gebruikt worden.'

Tracy was merkwaardig opgewekt, alsof er een last van haar schouders was gevallen.

'Ze leeft voor anderen,' zei ik.

'Zoals de meeste vrouwen.'

'Wie niet?' zei ik. 'Je kunt toch niet alleen voor jezelf leven?'

'De meeste mannen doen niet anders.'

Ze had een korenblauw truitje en een grijze rok aan en voor het eerst liep ze op platte beige schoenen. Haar uiterlijk kwam nu weer overeen met haar leeftijd.

'Je bent nog jong,' zei ik. 'Daar ga je later wel anders over denken.'

'Krijgen we die weer.'

'Opa vertelt, bedoel je.'

We moesten lachen. Veel wist ik niet van haar, maar ik kon niet verhelen dat ik haar aardig vond. Ze sleepte nog geen ballast met zich mee. Haar huid was glad als die van een kind en dat was ze in zekere zin ook, al deed ze alle moeite om dat te verbergen.

'Sandra heeft me door een moeilijke tijd heen geholpen,' zei ik. Ik vertelde haar in het kort over Geesje, het ongeluk. Ze legde haar hand op mijn arm.

'Zie je wel dat je ook voor anderen leeft,' zei ik.

'Dit is anders,' zei ze, 'dit is zo verschrikkelijk. Dat je niet meer weet wat er gebeurd is. Dat zwarte gat zoals u dat noemt.'

'Het wordt iedere maand kleiner. Op een dag zal het helemaal gevuld zijn met herinneringen.'

Toch was Tracy in bepaalde opzichten helemaal geen kind. Toen we die avond naar bed gingen en ik mijn koffer naar boven droeg, vroeg ze of ik met haar slapen wilde. Ze bood het aan zoals je een kind voorstelt een verhaaltje voor het slapengaan te vertellen. Alsof haar lichaam iets was dat ze weg kon geven, onbaatzuchtig, impulsief en aan wie dan ook.

'Dat hoeft niet,' zei ik. 'Je gezelschap is me genoeg.'

Ze maakte een gebaar van: dan niet, en vroeg of ik nog lang zou blijven.

'Ik weet het nog niet,' zei ik.

Ik schreef Sandra terug.

'Ik heb het gevoel dat ik hier op mijn plaats ben,' schreef ik, 'hoe raar dat ook klinkt voor iemand die nog nauwelijks weet waar hij is. De dagen lijken op elkaar en dat is een geruststellend idee, alsof hier geen tijd bestaat. Voorlopig heb ik nog geld. Ik heb een open ticket dus dat is ook geen probleem. Gisteren zag ik een eland aan de bosrand. Een imposant gewei. Hij bleef even doodstil staan, draaide zich toen om en liep bedaard het bos weer in. Tracy doet het huishouden, haalt de boodschappen en kookt. Ik ken haar nog te kort om iets over haar te zeggen. Is Harry alweer aan het werk? En hoe gaat het met Martijn op school? Met Nova Scotiaanse groeten. Stijn.'

Kort nadat Harry vertrokken was begon Tracy dingen mee te brengen om het huis op te vrolijken, zoals ze zei. 'Ik vind het hier zo somber.' Misschien miste ze Harry. Ze ging met Bruce Grady markten en garage sales af en kwam terug met een paar Zweedse vloermatten, lange lopers samengesteld uit allerlei gekleurde banen en een quilt als sprei voor haar bed. Van Bruce had ze een hertengewei gekregen waarop hij rode kerstboomlampjes had gemonteerd. Het hangt in de zitkamer als vervanging van een kerstboom.

5

Kerstbomen. Eens per jaar koopt Bruce kerstbomen bij boeren uit de omgeving op en verkoopt die op de markt in Lenfield. Hij heeft gevraagd of ik zin heb hem te helpen.

Als hij 's morgens om half negen komt voorrijden ligt de laadbak van zijn pick-uptruck hoog opgetast met dennenbomen. De last wordt bijeengehouden door kruislings gespannen touwen. Het vriest negen graden. Het weerbericht beweert dertien, met kans op sneeuw. Sneeuw? Bruce lacht. Dat zeggen ze al de hele week. De mensen willen nu eenmaal een witte kerst.

Bruce rijdt voorzichtig. Er ligt voor een paar duizend dollar handel achterin. De weg naar Lenfield is geruimd, maar in de bochten moet je tegensturen om niet van de weg te schuiven.

De kern van Lenfield wordt gevormd door een plein waaraan het café ligt, het Indiase restaurant Garden City en een bijkantoor van de Bank of Nova Scotia. De plaatselijke ijzerhandel heeft een kraam opgezet, maar voor de rest is het plein leeg. Bruce maakt de touwen los terwijl ik de bank binnenloop. Sinds ik The Collector begonnen ben heb ik hier een rekening lopen. In de bank geeft een roodharig meisje een ficus water uit een groen gietertje. Ik neem drie honderd dollar op. Nu Tracy weg is zal het leven een stuk goedkoper worden. Als ik weer buiten sta zie ik dat Bruce bezig is de dennen in twee stapels te verdelen. Ik help hem eerst de grootste stapel met een touw rond de stammen vast te sjorren en dan de kleinere.

'Wat kosten ze?' vraag ik.

'Veertig dollar,' zegt hij wijzend op de grootste stapel, 'en zestig voor die bomen daar.'

'Ik zie anders geen verschil.'

'Veertig dollar voor een gewone boom, zestig voor een speciale,' zegt Bruce.

'Wat is er dan zo speciaal aan die bomen?'

'Niets,' zegt Bruce. 'De kopers stellen mij dezelfde vraag. Ik begin met te zeggen dat de kerstbomen dit jaar erg duur zijn. Dan voelen ze zich in hun wiek geschoten. Alsof zij geen geld zouden hebben voor een kerstboom! En dan vragen ze steevast naar die andere stapel. "Die zijn nog duurder," zeg ik dan, "twintig dollar om precies te zijn. Maar dat zijn dan ook eersteklas bomen." Op dat moment heb ik zo'n boom al half verkocht, want wie wil er nu een kerstboom van inferieure kwaliteit?'

Hij grijnst.

'Je weet toch hoe de mensen zijn?'

En zo gebeurt het. Mannen en vrouwen met bontmutsen op waarvan de flappen loshangen betasten eerst de bomen van de ene stapel, dan die van de andere. De kleine stapel slinkt. Als er even geen mensen in de buurt zijn haalt Bruce wat bomen uit de grote stapel en zet ze bij de kleine.

'Ik schat dat ik op die manier tachtig procent voor zestig dollar verkoop,' zegt Bruce terwijl hij uit het bekertje koffie slurpt dat ik bij snackbar Rolling Stone heb gehaald.

'De mensen zijn tevreden, ze hebben een boom gekocht die eigenlijk hun budget te boven gaat en zo bewezen dat ze geld hebben, geld dat zich ophoopt in Bruce' versleten leren portefeuille.'

Aan het eind van de dag zijn er nog maar een tiental bomen over. Dat zijn de invaliden, de mismaakten onder de dennen. Kromme stammen, een kroon die naar één kant gegroeid is. Bruce gooit ze in de truck.

'Die stook ik op,' zegt hij.

Onze handen geuren naar hars, de grond ligt bezaaid met groene naalden en losse dennentakken.

'Kom,' zegt Bruce, 'we gaan naar de Rose Room.'

6

De Rose Room is het café waar Bruce regelmatig komt. Voor de kerstmaand hebben ze de muren met ruwhouten planken betimmerd waartegen kunstsneeuw gespoten zit. Boven de ramen zijn gekruiste ski's tegen de wand gespijkerd. Aan de balkenzoldering hangen twee houten kreeftenvallen en een oude duikerhelm met koperen borststuk.

Aan de bar zit een vrachtwagenchauffeur met dooraderde wangen. Hij kijkt even opzij, knikt en lijkt dan weer in zijn gedachten terug te zinken. Uit een transistorradio tussen de flessen klinkt de hese stem van een negerin, begeleid door violen. *I'm In The Mood For Love.* Bruce wijst op het bordje naast de toiletten. 'If you think our barmaids are beautiful, don't drive.' Daar kunnen de twee corpulente vrouwen achter de bar inderdaad geen aanspraak op maken. 'Ze bedienen met een gezicht alsof ze wel wat beters te doen hebben en soms hebben ze dat ook,' zegt Bruce en wijst naar het bruine plafond.

'Mannen kunnen hier niet al te kieskeurig zijn,' voegt hij er verklarend aan toe. Zijn behaarde wijsvinger maakt een rondje boven onze whiskyglazen.

'Ik ben benieuwd waar Tracy uithangt,' zegt hij.

'Ze zou schrijven,' zeg ik.

'Ja ja,' zegt hij terwijl hij het wisselgeld van zijn tien dollar biljet in zijn open hand schuift. 'Ja ja.'

Ik wist wel dat hij iets met Tracy gehad had, al hadden we er nooit over gesproken. Tracy wel. De dag dat Harry vertrokken was, was ze met Bruce meegegaan. Ze was met hem naar bed geweest en daarna hadden ze samen een fles van zijn zelfgebrouwen brandy leeggedronken. Ze was niet bij hem gebleven, maar was naar huis teruggelopen. Of liever teruggewankeld. Een paar keer was ze gevallen, maar ze had zich niet verwond. Ze had gedacht dat Harry er inmiddels wel zou zijn. Maar niet dus.

'Mis je haar?' vraag ik.

'Jij dan niet?'

'Niet op de manier die jij bedoelt,' zeg ik.

'Ze was een rare,' zegt Bruce en laat zijn wijsvinger opnieuw boven de glazen cirkelen. 'Soms kwam ze 's middags of 's avonds binnenvallen en zei zonder omhaal dat ze zin had om te neuken. 'Mannen zijn toch net zo,' antwoordde ze toen ik zei dat ik dat zo zonder enige plichtpleging maar vreemd vond. Een andere keer wilde ze alleen maar praten. Dan moest je niet proberen haar met een vinger aan te raken. Over toeval en lotsbestemming, dat waren haar favoriete onderwerpen. Ze wilde zich nergens aan binden en toch was ze ergens naar op zoek, een plek die ze zou herkennen zo gauw ze er was. Daar zou ze dan blijven. Ze wilde van mij weten of ik dacht dat zo'n plek bestond. "De plek waar je vandaan komt," zei ik en ik vertelde haar over het belang dat Maori's aan hun geboortegrond hechten. "Daar willen ze ook graag sterven, dichtbij hun voorouders." "Hoe verder ik bij mijn ouders vandaan kan blijven des te beter," zei ze.

Ze hadden haar op straat geschopt toen ze zwanger raakte. Vijftien was ze. Natuurlijk had ze het laten weghalen, maar haar ouders had ze nooit meer gezien. Met Harry dacht ze het gevonden te hebben. De rest van haar leven wilde ze bij hem blijven. Maar dat liep dus anders.'

7

Tracy was met een paar vloermatten aan de decoratie van het huis begonnen. Daarna waren de muren aan de beurt. Uit The Collector haalde ze een paar schilderijtjes die met een inboedel waren meegekomen. Amateurstukjes van een zondagsschilder of -schilderes. De landschappen en zeegezichten waren gesigneerd met 'M.J'. Ze waren aandoenlijk onhandig. Een perspectief dat halverwege werd verstoord door een veel te groot uitgevallen wegwijzer, een koe die zo schuin in een weiland stond dat hij ieder ogenblik om kon rollen, een zee die zich met alle macht tegen de beweging van zijn eigen golven verzette.

'Vind je ze mooi?' vroeg ik.

'Daar gaat het niet om.'

Het was alsof ze Harry's afwezigheid wilde compenseren met een interieur, alsof ze zich zo wilde beschermen tegen gemis, tegen dat holle gevoel.

Geesje was thuis ook degene die het gezellig maakte.

'Denk maar niet dat ik ooit een huisvrouw word.'

'Een interieur is een soort portret van iemand. En als die er niet langer is...'

Ze knikte. Bedoel je het zo.

'Ik was op zoek naar een huis,' zei ze, 'ik stond op het punt te gaan trouwen met een sportleraar, Frans. En toen ik met Harry door de lege kamers van dat huis aan de rand van Purmerend liep wist ik opeens: dit moet ik niet doen. Ik werd overvallen door paniek, ik klampte me aan

Harry vast en voor we het wisten lagen we op de grond. Vanaf dat ogenblik lieten we elkaar niet meer los. Maar waar moesten we heen? Ik logeerde bij een vriendin die het in geen geval mocht weten. Buiten was het nog te koud. We zagen elkaar in een motel in Akersloot, je weet wel, dat grote ding aan de A9. Eigenlijk was het verschrikkelijk. Al die loerende zakenlieden met hun papieren, de receptioniste met haar opgestoken haar en dat vileine glimlachje als ze Harry de kamersleutel gaf.

Op een middag zei ik dat ik zo niet verder wilde. "Ik voel me net een hoer," zei ik. "Wil je dat ik ga scheiden?" zei hij. Hij meende het nog ook. Maar ik zei dat hij niet zo burgerlijk moest doen, dat we weg moesten, ergens naartoe waar niemand ons zou kunnen vinden. "We schaken elkaar," zei ik. Hij wilde naar een zonnig eiland in de Caraïben. "Je leest te veel romannetjes," zei ik. "Je komt er geheid mensen tegen die je kent. Iedereen gaat daar tegenwoordig naartoe." Veel fantasie had hij niet, Harry. Ik had een keer met een vriendinnetje een trektocht door Canada gemaakt. Daar zag je nauwelijks toeristen. "Halifax, zei ik, "we gaan naar Halifax." Een maand later waren we weg.

We huurden een auto en reden rond. Ik heb het gevoel dat ik in alle motels van Canada geslapen heb. 10.000 Motels, heet dat stuk van Frank Zappa niet zo? Allemaal zijn ze hetzelfde. Het was meestal slecht weer. Wat dat betreft had Harry met zijn Caraïben wel gelijk. We lagen in bed en keken televisie. Dagen achter elkaar. Eten lieten we brengen. Stapels pizzadozen heb ik buiten de deur gezet.

Tot we een keer verdwaalden en toevallig bij dit huis kwamen. Er hing een bord aan de veranda met de mededeling dat het te huur was. We hadden allebei genoeg van die motels.

De eerdere bewoners hadden wat spullen laten staan: de keukentafel, de oude fauteuil in de zitkamer, de leren bank; de rest scharrelde ik op veilingen en bij garage sales bij elkaar. Een echt huis werd het zo niet, maar dat moest het ook niet worden. "We moeten ons aan niets hechten," zei ik. "Het moet eruitzien alsof we zo weer kunnen vertrekken." Maar al zeiden we het niet tegen elkaar, dat waren we niet van plan, dat konden we niet meer. Ik sliep slecht en Harry was niet gewend aan hele dagen niets doen. Zo begint het, het einde. Je gaat aan vroeger denken en dan stap je vanuit je verliefdheid langzaam maar zeker je vroegere leven weer in. Je kunt niet ontsnappen.'

VII

1

De dag nadat Harry vertrokken was kwam Bruce Grady langs. Tracy was gaan wandelen om haar kater de baas te worden. Aan de manier waarop hij in huis rondliep kon je zien dat hij hier vaker geweest was; hij wist waar de koffie stond, de blikken bus met suikerklontjes.

'Mijn drank is eigenlijk te sterk voor jongedames,' zei hij terwijl hij in zijn kopje roerde. 'Harry en Tracy. Ze dachten dat ze voor altijd bij elkaar zouden blijven, dat ze geen moment buiten elkaar konden.'

'Was dat dan niet zo?' vroeg ik.

'In het begin wel,' zei hij. 'Het was passie. Ik herkende het meteen en dacht: dat houdt geen stand. Ze kwamen alleen maar de deur uit om inkopen te doen. Zo heb ik ze op de markt in Lenfield ontmoet. Tracy was geïnteresseerd in een sculptuur van wrakhout die ik daar te koop aanbood, maar Harry zag er niets in. Voor hem was het gewoon een hoop in elkaar getimmerde rotzooi. Vlak voor mijn kraam stonden ze te bekvechten. Ik kwam tussenbeide, zei dat het geen zin had om over kunst ruzie te maken. Ik zag aan Tracy's ogen dat ze haar zinnen op dat ding gezet had. Dus gaf ik het haar. Later op de dag ben ik het gaan brengen. Maar waar het gebleven is? Misschien heeft Harry mijn kunst wel opgestookt.' Hij grinnikte. 'Als je het koud hebt moet je stoken,' zei hij. 'Het is hier wel mooi weer nu, maar de avonden kunnen kil zijn.'

'Er is één ding dat ik niet begrijp,' zei ik. 'Hoe kwam u erbij op Missing Link te gaan zoeken. Zoekt u ook iemand?'

Bruce wreef met zijn rechterhand over zijn linkerarm. Onder de huid zaten dikke bobbels die wegschoten als hij erover wreef.

'De waterhuishouding,' zei hij, 'soms een beetje in de war, maar last heb ik er verder niet van. 's Avonds ga ik wel eens op internet kijken. Vermiste personen. Die intrigeren me. Ze prikkelen mijn fantasie. Ik klik een naam aan, kijk naar de foto, naar de persoonsgegevens en probeer me voor te stellen wat er gebeurd kan zijn. Het verhaal erachter. Een paar dagen nadat ik dat beeld bij hen gebracht had keek ik weer op internet. Toen kwam ik zijn naam tegen. Of liever, alleen zijn voornaam. Harry. Die had ik op de markt opgevangen. Ik was natuurlijk stomverbaasd dat ik nu juist hem vond. Hij was de enige Harry op de lijst, Harry Bekkering.'

'En toen hebt u contact gezocht met Missing Link?'

'Ik had gezien dat het voorbij was tussen die twee. Zij was veel jonger dan hij.'

'U had ook niets kunnen doen.'

'Soms print ik de gegevens over zo'n vermiste uit en probeer er dan een verhaal omheen te schrijven. Maar dit was beter. Wat ik dacht bleek te kloppen. Maar toen die vrouw van hem eenmaal contact met mij had gezocht kreeg ik spijt. Ik veroorzaakte iets in levens waar ik niets mee te maken had. Het was niet langer een verhaal dat ik naar believen kon sturen. Maar ik was nu eenmaal begonnen. Er was geen weg terug en dat e-mailtje van die vrouw was zo smekend wanhopig...'

'En heeft u daarna ook nog bij Tracy gekeken?' vroeg ik.

Bruce knikte. 'Zij werd kennelijk door niemand gemist,' zei hij.

Hij stond op.

'Uw zoon heeft uw auto meegenomen, zie ik. Zal ik u morgen naar het vliegveld rijden?'

'Ik weet het niet,' zei ik. 'Misschien blijf ik nog wat.'

Bruce Grady lachte en hief zijn brede wijsvinger naar mij op.

'Pas maar op voor Tracy.'

Ik lachte terug.

'Ze zou mijn kleindochter kunnen zijn.'

'Dat zegt niets,' zei Bruce. 'Ik herhaal: het was passie, iets als een lawine; het sleurt je mee en als je bij je positieven komt begrijp je niet wat je overkomen is. Als je eraan terugdenkt is er eigenlijk niets. Alsof je in die tijd samenviel met je lichaam, alleen maar lichaam was. Maar ik zie dat u niet begrijpt wat ik bedoel.'

Bij de deur draaide hij zich om.

'Als u een keer langs wilt komen bent u van harte welkom. Tracy weet wel waar ik woon.'

Een vreemde man, die Bruce Grady. Aan de buitenkant zag hij eruit als een ongelikte beer, maar wat hij zei wees erop dat hij dieper over de dingen nadacht.

2

In het begin draaiden Tracy en ik als vreemden om elkaar heen, alsof we in een hotel woonden. Ze was zwijgzaam, maar van liefdesverdriet leek me geen sprake. Vaak liep ze te zingen of te neuriën en glimlachte dan verlegen als ik haar zo betrapte. Als ze niet in huis aan het werk was zat ze in de woonkamer in de oude leunstoel tv te kijken, haar benen onder zich gevouwen. In die tijd maakte ik lange wandelingen in de omgeving. Aan de dennenbossen leek geen einde te komen. Verspreid tussen de kale stammen lagen overal rotsblokken, bedekt met een dikke laag verend mos. Ik zag sporen van herten en grotere sporen die ik niet kon duiden. De toppen van de bomen ruisten als de zee verderop. Nooit kwam ik iemand tegen. Als ik terugkeerde zat Tracy op de veranda en bladerde in een tijdschrift. Of ze had de pick-up genomen en kwam terug met bruine zakken vol boodschappen. Dan hielp ik haar die naar binnen te dragen.

We kookten om de beurt. Ik zat tegenover de ex-minnares van mijn zoon, een meisje dat zijn leven totaal overhoop had gehaald. En nu zat ze op haar gemak aan een karbonade te kluiven en schonk ze mij een glas bier in. Ik vertelde haar over Geesje. Dat ik soms over haar droomde en het verdriet als ik mij de volgende morgen de droom niet meer te binnen kon brengen, hoe snel herinneringen vervagen en dat daar niets tegen te doen is. Ik vermeed het over Harry te praten.

Een paar dagen later kwam ze erop terug.

'Ik probeer geen herinneringen te krijgen,' zei ze. 'En als dat toch gebeurt doe ik alsof ze van een ander zijn en dat zijn ze ook. Ik was gisteren iemand anders dan vandaag.'

'Je bent ook degene die je geweest bent,' zei ik.

'Die vergeet ik.'

'Zonder herinneringen kun je niet leven,' zei ik, 'dan heeft je leven geen richting.'

'Dat moet ook niet.'

Ze keek me met een baldadig lachje aan. Ik zweeg. Ze was te jong om het te begrijpen, ze dacht nog dat ze alle kanten op kon.

'Als iemand er niet meer is, zijn herinneringen het enige wat je hebt. Dan koester je die, je probeert ze voor uitsterven te behoeden.'

Ik vertelde haar dat het me speet dat ik de sproeten op Geesjes schouders nooit had geteld. Daar moest ze om lachen.

'Je lijkt je zoon wel,' zei ze.

Ik vertelde haar over mijn voorzichtige avances, over de verlegenheid waarmee Geesje en ik elkaar aanraakten, over haar gewoonte om mij in het voorbijgaan even lichtjes in mijn neus te knijpen en hoe ik haar dansen had geleerd door haar op mijn voeten te laten staan, over de tochtjes met een roeiboot door de polder, het water dat over de boorden van de sloten klotste, de trage wiekslagen waarmee een reiger bij onze nadering opvloog van een drassig weiland, hoe we elkaar vertelden wat we in de overtrekkende wolken zagen. Ik hoorde mijzelf vertellen en besefte dat het meer woorden dan beelden waren, die herinneringen van mij.

Er kwamen nieuwe brieven van Sandra. Ze gingen meest over koetjes en kalfjes. Harry was nog niet aan het werk, Martijn ging naar de derde klas en zelf had ze het druk met de automatisering in de bibliotheek.

'Ze weet van niets,' zei Tracy. 'Hij heeft haar natuurlijk verteld dat het om een slippertje ging, een scheve schaats zoals alle mannen die wel eens rijden.'

'Maar waar ging het dan om?' vroeg ik.

'Daar kan ik niets over zeggen,' zei ze.

'Bruce Grady noemde het passie,' zei ik.

Ze keek me aan alsof ze dat woord nog nooit gehoord had.

3

13 mei 2000. 'Een jaar geleden.' staat er. En dan nog: 'Muziekfestival Port Felix.'

Bruce was met piepende remmen voor de veranda gestopt. Naast hem zat een kalende man met een lang smal gezicht, een spitse kin en een uilenbril.

'Dit is Oliver Friedlander,' riep Bruce door het neergedraaide portierraam. 'We gaan naar het muziekfestival in Port Felix.'

Hij haalde zijn handen van het stuur en imiteerde de strijkende bewegingen van een violist.

'Je strijkt verkeerd om,' zei de man met de spitse kin naast hem.

'Laten we meegaan,' zei Tracy. 'Vooruit, op een dag als vandaag moet je niet binnen blijven kniezen.'

We klommen in de laadbak. Tracy trommelde opgewonden met haar vuisten tegen het achterruitje. 'Rijden!'

Een jaar geleden. Het wilde maar geen werkelijkheid worden. Een wereld zonder Geesje raakte mij niet langer. Alsof mijn zintuigen maar op halve kracht werkten, had ik tegen Tracy gezegd. 'Als je niet oppast word je een oude man,' zei ze. Dat leek haar een vreselijk vooruitzicht.

Bij elke bocht in de weg moesten we ons aan de rand van de laadbak vastgrijpen. Tracy droeg een spijkerbroek met een lichtgeel T-shirt waarop 'Here I am' stond, een overbodige mededeling leek mij.

‘Weet jij wie die man is?’ riep ze boven het motorlawaai van de Dodge uit.

Ik trok mijn schouders op, rook de zware geur van diesel. Een jaar geleden en weer zat ik in een auto. Tracy kroop naast mij.

‘Bruce is een gevaar op de weg.’

Ik knikte. Ze keek me aandachtig aan alsof ze iets in mijn gezicht zocht.

‘Ik heb zin om te dansen. Jij?’

Ik moest ondanks alles lachen.

‘De laatste keer dat ik gedanst heb...’

‘...was met Geesje.’

‘Ik houd mijn mond al,’ zei ik.

Ze pakte mijn hand.

‘Sorry. Zo bedoelde ik het niet. Je moet me beloven dat je straks met mij gaat dansen.’

‘Met een oude man?’

‘Je bent geen oude man.’

Port Felix lag in een dal tien kilometer ten westen van Lenfield. De huizen stonden rond een meer waarvan ik de naam vergeten ben. Verspreid in de heuvels waren podia opgericht, gebouwd van op elkaar gestapelde aardappelkisten. Oliver Friedlander stak zijn benige hand naar ons uit.

‘Noem me maar Ollie,’ zei hij met een hoge wat verwijfde stem.

‘Ollie weet alles van violen,’ zei Bruce en sloot de auto af.

‘Fiddler music is van Keltische oorsprong,’ zei Oliver Friedlander.

Bruce legde een arm om de smalle schouders van de man. Hij schudde hem vriendschappelijk door elkaar.

'Geen colleges. Je bent hier niet op de universiteit, Ollie.'

'Universiteit?' vroeg Tracy. Ik zag dat ze gefascineerd keek naar de twee grijze haren die uit Olivers rechter neusgat groeiden. 'Is hij professor?'

'Het scheelt niet veel,' zei Bruce. 'Hij is bezig met een boek over de muziek hier.'

Oliver Friedlander leek pijnlijk verrast door deze mededeling.

'Kom,' zei hij en beende vooruit.

Overal waren violisten met zijn tweeën of drieën aan het spelen, soms ondersteund door een klarinettist of een harmonicaspeler. Tracy was naast de professor gaan lopen.

'De principes zijn eenvoudig,' hoorde ik hem zeggen. 'Volksmelodietjes, een enkele maal reeksen zoals we die ook uit de Schotse doedelzakmuziek kennen. Veel van deze melodieën worden ook in Ierland gespeeld. Jigs. Rural dance music.'

Langzaam liepen we de heuvels op. De vioolmuziek waaide van alle kanten op ons aan. In het gras zaten gezinnen rond uitgespreide tafellakens waarop broden, worsten en flessen wijn lagen. Het leek alsof al die violisten hetzelfde liedje speelden, ieder in hun eigen tempo en toonaard. Monotoon en geruststellend klonk het, muziek zonder begin of eind, eindeloos herhaald op de door elkaar spelende violen, vastgehouden door mannen in hun zondagse pak, mannen die overdag in de bossen werkten of in een fabriek, maar nu hun beste beentje voorzetten op de stoffige aardappelkistjes. Oude mannen meest, maar ook een paar jonge jongens waren erbij.

We liepen van groep naar groep. Oliver Friedlander luisterde gespannen.

'Dit zijn drie violisten uit Trickle,' zei hij. 'Deze chaconne wordt ook elders gespeeld, maar de variaties zijn specifiek voor Trickle.'

Tracy was onder de indruk. 'Dat hij dat hoort,' zei ze vol ontzag tegen mij, 'voor mij klinkt het allemaal hetzelfde.'

'Thuis heeft hij muzikale landkaarten,' zei Bruce, 'een complete inventarisatie van alle muziek die er in Nova Scotia wordt gespeeld. Soms hoort hij een nieuwe variatie en die noteert hij dan in het boekje dat hij in zijn hand houdt. Het muzikale landschap is voortdurend in beweging. Sommige variaties sterven met hun bedenkers uit en dan worden er weer nieuwe bedacht door jongere spelers.'

'Het is net als het maken van een quilt,' zei Ollie. 'Iedereen levert er zijn bijdrage aan. De muziek is van iedereen. Ze nemen haar van elkaar over, al generaties lang. Die man daar met het rode sikje komt uit Gainsbridge. Daar spelen ze afwisselend polyfone en homofone passages. Net treinen die een tijdje gelijk op rijden en dan uit elkaar gaan. Hoor je wel? Die viool is nog van zijn overgrootvader geweest, die hem van een Duitser had gekocht, ene Lebemann.'

'Het weer, het landschap, de zee, het zit er allemaal in. Zolang er hier mensen zijn zal deze muziek zo worden gespeeld.'

'Hoor,' zei hij, 'die jongen daar gebruikt een vinkenslag.'

Op de top van de hoogste heuvel was een tent opgezet die met touwen en grote houten haringen in de grond stond verankerd. Voor de ingang stonden mannen en vrouwen met plastic bekertjes in de hand.

'Kom,' zei Bruce, 'laten we wat gaan drinken.'

In de tent zag het blauw van de rook. Meisjes met witte schortjes liepen met bladen bier rond. Bruce hield een van de meisjes aan, nam vier plastic bekers bier van het blad en liet een vijfdollarbiljet op het natte dienblad vallen.

Zo nu en dan drong de muziek door het tentdoek naar binnen als het gezaag van een enorm insectenkoor verspreid over de heuvels. Het was de dertiende mei, het was een jaar geleden en de muziek vertelde mij dat alles steeds veranderde en toch hetzelfde bleef.

'Waarom huil je?' vroeg Tracy. Ze veegde met een mouw van haar T-shirt over mijn wang.

'Het is de muziek,' zei ik.

De man met het smalle, langgerekte gezicht en de uilenbril keek mij verbaasd aan.

'Laten we gaan dansen,' zei Tracy die net haar lippen vuurrood had zitten stiften. Even strekte ze haar armen naar mij uit, maar toen ik bleef zitten stak ze haar arm door die van Bruce en trok hem mee de tent uit.

Alleen boven de oren van Oliver Friedlander groeiden wat plukjes bruin haar. 'Ik ben hier geboren,' zei hij, 'in Nova Scotia. En waar komt u vandaan?'

'Uit een land zonder muziek,' zei ik.

'Dat moet dan een somber land zijn,' zei hij.

'In tegendeel,' zei ik, 'de mensen zijn er gelukkig omdat ze niet weten wat ze missen.'

Oliver Friedlander wees naar de tentopening.

'Niemand weet waar deze muziek precies ontstaan is en hoe. Ik probeer alles vast te leggen, alle variaties, alle melodieën, maar de basis, de grondtoon zo te zeggen, ontgaat me. Hoe zijn mensen op het idee van muziek gekomen; wat denkt u?'

'Misschien omdat ze geluiden hoorden,' zei ik, 'omdat ze nu eenmaal oren hadden.'

'Omdat ze bang in het donker waren,' zei Oliver Friedlander. 'Mensen in het donker gaan lawaai maken om hun eigen angst te overstemmen. De natuur is onbarmhartig en onverschillig. Daar moet de mens iets tegenover stellen. Het helpt niet, maar toch doet hij het.'

Tracy kwam met een rood hoofd en de gympen in haar hand de tent in.

'Kom,' zei ze, 'we gaan met Bruce mee. Ik heb genoeg van die ouwelullenmuziek.'

Oliver Friedlander gaf geen krimp.

'Nee,' zei hij, 'ik blijf hier. Hier is mijn plaats.'

Hij stak zijn notitieboekje omhoog en glimlachte.

4

Ik zat voorin naast Bruce, Tracy achterin de laadbak. We hoorden haar een of ander liedje brullen. Ik herkende het niet. In ieder geval was het niet van Keltische oorsprong.

'Hoe ken jij die Ollie eigenlijk?' vroeg ik.

'Van de Rose Room.'

'If you think our barmaids are beautiful.'

'Hij hoeft niet eens te drinken om Sylvie en Jane mooi te vinden. Een vrijgezel. Hij heeft jarenlang in Halifax gewoond waar hij iets aan de universiteit deed. Op een avond raakten we in gesprek. Dat wil zeggen, ik had het over Maori's en hij over die vioolmuziek van hem, over die muziekkaarten. Ik ben een keer bij hem thuis geweest. Heel indrukwekkend. Voor ieder dorpje had hij alle hem bekende themavariaties die daar gespeeld werden met de namen van de violisten erbij genoteerd. Die muziekbladen plakte hij in een groot foliocahier. Aan de muur hingen allemaal violen. Ik herinner me er een, gemaakt van een oude klomp. Ja, Ollie is een interessante man omdat hij zich bezighoudt met iets waar niemand anders op let.'

'Hij vroeg mij waarom er muziek bestond,' zei ik. 'Volgens hem omdat mensen bang zijn in het donker.'

Bruce lachte. Hij hield het stuur met één hand vast en krabde met de andere over de bulten op zijn sturende arm.

'Bij de Maori's is muziek een natuurproduct. Mensen

hoorden vogels, de kreten van apen en andere dieren, het brullen van de zee, het gieren van de wind en gingen dat nadoen. Heb je tegen de avond wel eens een merel horen zingen? Ik weet niet of het waar is, maar ik heb een keer een verhaal gelezen over een merel die iedere avond op het dak van een huis neerstreek waar een pianist woonde die de *Mondscheinsonate* van Beethoven aan het instuderen was. Na een paar weken kon de merel het thema nafluiten en andere merels uit de omgeving namen het van hem over.'

'Bij ons huis zat er altijd bij het vallen van de avond een hoog in een berk te zingen,' zei ik. 'Mijn vrouw stond in de keuken voor het open raam en floot terug. Maar daar reageerde die vogel niet op.'

'Jouw vrouw was Beethoven niet,' zei Bruce. 'We gaan even langs huis, wat flessen en eten ophalen en dan naar het strand. Zo'n prachtige dag mogen we ons niet laten ontgaan.'

'Een strand,' zei ik, 'ik wist niet dat hier een strand was.'

'Vlakbij Swan's Point,' zei Bruce. 'Daar gaat een pad naar beneden dat uitkomt bij een kleine baai met een zandstrandje. Er komt bijna niemand, de meeste mensen weten het niet. En als ze het wel weten gaan ze er niet heen omdat ze niet kunnen zwemmen. Het is gek, het waren hier allemaal vissers vroeger, maar zwemmen konden ze geen van allen. Het hele kerkhof van Lenfield ligt vol verdronken zeelui.'

En zo gingen we met een paar stukken worst, twee flessen huiswijn en een brood op weg naar Swan's Point. Tracy kwam op het laatst nog aanzetten met een grijze deken die we als tafellaken konden gebruiken.

'Mannen denken aan tafelen, vrouwen aan tafelmanieren,' zei Bruce.

Tracy trapte in zijn richting. Bruce greep haar voet bij de enkel vast, liet haar vallen en tilde haar toen met beide handen even hoog boven zijn hoofd.

'Je bent een barbaar,' riep ze en klom met de plastic zak eten en de deken achterin de laadbak.

Het was inderdaad een prachtige dag, net als een jaar geleden aan de overkant van de oceaan. Een strakblauwe lucht en bijna geen wind. Je kon al zonder jas over straat. Geesje en ik waren naar vrienden in Middenbeemster gereden. Frank en Connie woonden in een stolpboerderij. Het waren stadsen en ik had in de loop der jaren heel wat aan hun interieur bijgedragen. Connie was dol op antiek, zoals zij alle vooroorlogse meubels noemde. Behalve een glaasje sherry voor het eten had ik niets gedronken. Toch had die politieman Broks mij in het ziekenhuis bloed laten aftappen.

'U moet in het donker iets gezien hebben dat u aan het schrikken heeft gemaakt.' Ik kon het mij niet herinneren. De wegen in de polder zijn kaarsrecht. Geesjes armbanden rinkelden toen we afscheid van Frank en Connie namen. Die armbanden kwam Broks mij een paar weken later brengen. Haar zilveren armbanden, drie om precies te zijn, haar horloge dat wonderlijk genoeg nog liep, haar dunne gouden trouwring en haar tas. De zwarte tas was leeg. Ik kon mij niet herinneren wat erin gezeten had.

Bruce zette de radio aan. In Engeland was mond- en klauwzeer uitgebroken. De directeur van het Nationaal Verkeersbureau verwachtte een toename van het toerisme in Nova Scotia met acht procent en volgens het weerbericht was het in onze contreien een bewolkte dag.

'Kijk,' zei Bruce. 'Dat daar is het kapelletje van mevrouw Swan.'

Aan de rand van de weg stond een gemetseld wachthuisje afgesloten met een ijzeren hek. Bovenop het huisje stond een ruwhouten kruis, een beetje scheefgezakt.

'Daar bidt ze voor ons welzijn. Nadat haar man zich bij een jachtpartij had doodgeschoten, is ze godsdienstwaanzinnig geworden. Er werd gefluisterd dat het om een moord ging maar de politie heeft nooit iets kunnen bewijzen.'

Bruce reed de auto in de linkerberm. Daarachter lag het pad naar het strand.

Tracy liep voor ons uit. 'Here am I'. Haar T-shirt fladderde om haar middel. Halverwege het pad kon je de zee al zien liggen.

'Later in het jaar kun je hier walvissen voorbij zien komen,' zei Bruce. 'Vandaar die toeristen waar ze het net over hadden. Het is inderdaad een prachtig gezicht, die zwartgrijze uit het water omhoogdeinende heuvels waaruit fonteinen opspuiten. De een na de ander.'

Even achter de branding dobberde een rijtje meeuwen. Tracy had de deken op het smalle strand uitgespreid en bekeek een van de etiketloze wijnflessen. 'Het is appelwijn,' zei Bruce.

'Cider, lekker,' zei Tracy.

Een tijdje zaten we zwijgend te eten en te drinken. De cider prikte op mijn tong. Bruce vertelde Tracy over de walvissen en wees naar de horizon waartegen een mammoettanker voorbijschoof als in een schimmentheater.

'We zijn als de dood dat dat een keer fout gaat,' zei hij.

'Als er hier een keer zo'n ding vergaat is het afgelopen met de vogelstand en de vis. We hebben dat een paar jaar geleden met een kleine tanker meegemaakt. Wekenlang hebben we uit alle macht de stranden en de rotsen schoon staan schrobben. Alle mannen uit de omgeving. Met de visserij in Canso was het in één klap afgelopen.'

We wilden die middag niet aan rampen denken. Tracy ging op haar rug op de deken liggen.

'Ik voel de zon al,' zei ze met gesloten ogen.

'Toch is het volgens de radio bewolkt,' zei Bruce.

'Ik ben hier ook een keer met Harry geweest,' zei Tracy, 'maar toen waaiden we zowat weg.'

'Harry kan niet zwemmen,' zei ik. 'Wist je dat?'

Tracy draaide zich op haar buik. Ze had niet alleen haar lippen gestift zag ik nu, maar ook haar wenkbrauwen aangezet, twee vragend opgetrokken boogjes. Ze steunde haar hoofd in haar handen.

'Nee,' zei ik, 'we kregen hem met geen paard het zwembad in. Hij had het altijd koud, stond altijd te bibberen op de kant.'

Ze zuchtte een keer diep.

'Ach Harry...' zei ze zachtjes, bijna smachtend, alsof ze hem zo op wilde roepen.

Misschien dat Bruce daarom over zijn eerste liefde begon. 'Het is gek,' zei hij, 'maar als ik nu aan die tijd denk. Ik heb het over bijna veertig jaar geleden. Majken heette ze. Majken Robbins. Toen ik haar in Toronto ontmoette werkte ik op een rondvaartboot. Zij was uitgenodigd voor een of ander festival. Ze was schrijfster. Ze scheen heel beroemd te zijn, maar toen ik haar op de boot ontmoette had ik nog nooit van haar gehoord. In die tijd las ik nauwelijks.'

'Waar gingen haar boeken over?' wilde Tracy weten.

'Daar kom ik zo op,' zei Bruce. 'Ze zag er prachtig uit. Lang, slank, blond en met een beetje scheefstaande blauwe ogen. Chic gekleed ook, een spierwit broekpak en een slangenleren tas, dure spullen. Superhoge hakken waardoor ze op de boot een paar keer door haar enkels zwikte en ik haar moest vastgrijpen omdat ze anders gevallen zou zijn. Wat er toen gebeurde.'

Tracy ging op haar knieën zitten.

'Alsof er een schok door ons heen ging. Ik keek haar aan en zij mij en het was alsof de rest van de boot opeens niet meer bestond. Terwijl ik in de microfoon doorpraatte over de gebouwen langs de waterkant kon ik mijn ogen niet van haar afhouden. Toen de boot lag afgemeerd stond ze mij op de kade op te wachten. Ik sloeg mijn arm om haar middel alsof we al jaren samen waren. We gingen naar het dure hotel aan de baai waar ze logeerde, kleedden ons uit en vreeën de rest van de dag en de nacht. Het gekke was dat we bijna niets zeiden. Alleen onze namen. Majken, Bruce. Voor de rest spraken onze lichamen met elkaar. Zij heeft mij alles geleerd, ze was bijna tien jaar ouder dan ik. Ik had wel eens wat met meisjes gehad maar dit was totaal anders. Vanaf dat moment waren we onafscheidelijk. Ze woonde in een camper en daar zijn we heel Canada mee doorgetrokken. Daar schreef ze ook haar boeken. Ik kan het geratel van die oude Remington nog steeds horen. Ze schreef snel. Ieder jaar wel een boek. Natuurlijk was ik nieuwsgierig naar wat ze schreef.'

'En?' vroeg Tracy toen Bruce even ophield met vertellen om zijn lege glas te vullen.

'Het was totale rotzooi. Vrouwen op vakantie die ergens aan de Italiaanse Rivièra een donkere jongen opscharrelden waarmee ze dan een stormachtige affaire hadden. Zo schreef ze ook: stormachtig. Of een vrouw die ergens in de provincie wegkwijnde tot er plotseling een vreemdeling verscheen die haar het hof maakte. Het had allemaal niets met de werkelijkheid te maken, maar ze verdiende er sloten geld mee. We woonden in een camper maar verder leidden wij een luxe leven. Dure restaurants, dure kleren. Die tijd was de enige in mijn leven dat ik pakken droeg. Ik had zelfs een zijden pyjama. Al moest die meestal gelijk weer uit.' Bruce lachte. 'Ze kocht allerlei dingen maar – wat me toen al opviel – nooit een boek. Iedere dag wilde ze van me horen hoe mooi ze was. En dat was ze ook. Maar wat er achter die vraag schuilging was de angst om ouder te worden, de angst dat ze op een dag verlaten zou worden. Ik moest haar eeuwige trouw beloven, maar je weet hoe dat gaat met eeuwige trouw.'

'Nee,' zei Tracy.

'Net als met jou en Harry,' zei Bruce. 'Misschien gaat het geleidelijk, zonder dat je het in de gaten hebt, misschien plotseling, maar er komt een moment dat die twee lichamen ophouden met elkaar te praten en je zelf het woord moet nemen. En dan blijkt dat je elkaar niets te zeggen hebt of allebei iets totaal verschillends. Je begrijpt niet wat je ooit in die ander hebt gezien, waarom je tegenover elkaar zit. En op dat moment wil je weg.'

'Bij ons ging het anders,' zei Tracy. Ze draaide haar hoofd van ons af en keek uit over het water.

'Misschien lag het ook aan mij,' zei ze. 'Ik wilde graag anders worden, maar mij lukte het niet. Ergens in mij zat iets dat zich verzette, waar ik me al vrijend niet van kon bevrijden.'

'Eigenlijk kenden Majken en ik elkaar niet,' zei Bruce. 'Daar gaven we elkaar de kans niet toe. Als we een tijdje gepraat hadden gingen we weer met elkaar naar bed. Een klein bedje. Ik ben er ik weet niet hoe vaak uitgevallen.'

'Harry rook zo lekker,' zeg ik.

Ze keken mij aan.

'Dat zei Sandra.'

'O,' zei Tracy. 'Ja. En opeens rook hij weer net als iedere man.'

'En hoe ruikt die?' vroeg Bruce.

'Een beetje scherp, een beetje goor. Lekker eigenlijk wel.'

Bruce lachte.

'Vrouwen ruiken naar vis.'

'Waar heb ik die eerder gehoord?' zei Tracy, stond op en begon de overgebleven stukken worst terug in de plastic tas te stoppen.

5

Bij Bruce thuis gingen we van de cider over op Bruce' versie van Schotse whisky. De houtsmaak kwam uit een flesje essence, zei hij. Maar voor de rest...

Tracy en Bruce leken geen last te hebben van het brandend scherpe spul, zelf moest ik bij iedere slok een paar keer flink slikken.

Bruce vertelde over zijn bezoek aan de directeur van het museum voor moderne kunst in Halifax, een maand geleden. Hij had wat kleurenfoto's van zijn strandsculpturen meegenomen. Toen hij zich bij de balie van het museum meldde en zei dat hij de directeur wilde spreken, zei de receptioniste dat dat niet zomaar kon.

'Toen ik zei dat ik een Amerikaanse kunstenaar op doorreis was, kon het ineens wel. Meneer Whitebank was een keurige heer in een grijs streepjespak. Hij droeg een vrolijk gekleurde das ontworpen door een beroemde Nederlandse kunstenaar wiens naam me is ontschoten. Geduldig en zwijgend bekeek hij mijn onscherpe kiekjes. Tenslotte, terwijl hij het stapeltje foto's over zijn bureau naar mij terugschoof, zei hij: "En wat wilt u hiermee zeggen?" "Niks," zei ik. "Kan ik hier soms ergens pissen?" Meneer Whitebank moest, zo bleek, ook nodig. En zo stonden wij even later samen bij de pisbakken van het museum. Terwijl ik hem naast mij hoorde klateren zei ik dat ik maar een kunstenaar voor halve dagen was. "En wat doet u dan de rest van de dag?" wilde meneer Whitebank weten. "Leven," zei ik. "Dat zouden meer kunstenaars moeten doen," antwoordde hij. Hij was klaar en knoopte zijn gulp zorgvuldig dicht. "Weet u wat het is," zei hij vertrouwelijk, terwijl wij naar de uitgang van het museum liepen, "de meeste kunstenaars worden tegenwoordig in het museum geboren." '

Tracy moest lachen. Het was geen gewoon lachje. Ik begreep dat ik die avond alleen naar huis zou gaan.

Toen ik over de bosweg naar huis liep begon het te schemeren. De weg die zich tussen de dennen voor mij uitstrekte was leeg, net als die kaarsrechte weg door de polder toen. De berm lag bezaaid met dennenappels. Ik begon zachtjes te fluiten, een liedje van langgeleden. Pas toen ik het voor de tweede keer floot, herinnerde ik mij hoe het heette: *Daar waar de molens staan*. En dan kwam er iets met 'wuivend graan'. Bij de gele plastic brievenbus moest ik naar rechts. Mijn hand voelde gewoontegetrouw in het lege binnenste, maar deze keer vonden mijn vingers een brief. Pas toen ik thuis het licht had aangedaan zag ik dat het een brief van Harry was, een brief van Harry voor Tracy. Even ging ik met de gesloten envelop aan tafel zitten, toen stond ik op, liep naar het fornuis en zette een ketel water op.

6

'Lieve Tracy,

Ik ben je een verklaring schuldig, een verklaring en een afscheid. Toen mijn vader opeens voor mijn neus stond kon ik eenvoudigweg niet blijven. Hij en ik, dat gaat nu eenmaal niet. Hij appelleerde aan mijn schuldgevoelens en daar kon ik op dat moment niet tegen. Nu ik een paar weken thuis ben heb ik geprobeerd de dingen voor mijzelf op een rijtje te zetten.

Wat mij met jou is overkomen – ja, overkomen want een plan lag er niet aan ten grondslag, tenminste niet in het begin – is tegelijkertijd het mooiste en verschrikkelijkste wat ik ooit heb meegemaakt. Ik wist niet dat liefde zo hevig kan zijn dat het zeer doet. Het was een liefde waarbij geen plaats was voor iets anders. Maar een mens kan niet eeuwig in het heden blijven leven. Ik weet het, jouw verleden is niet iets om naar terug te verlangen, maar voor mij ligt dat anders. Ik heb een vrouw en een kind. Dat begon steeds meer te knagen. Je zult me wel laf vinden, maar ik ben niet in de wieg gelegd voor zo'n allesverzengende liefde. Ik heb structuur nodig, kan niet leven zoals jij, van de hak op de tak, hoezeer ik dat ook bewonder.

Nog altijd ben je dagelijks in mijn gedachten. Niet alleen in mijn gedachten maar ook in mijn lichaam. Ik sla mijn armen om je gladde, smalle rug, voel weer de kuiltjes onderin je rug. Het doet zeer, ik heb het gevoel dat ik het mooiste in mijn leven de rug heb toegekeerd. Maar het moest. Ik troost me met de gedachte dat mijn herinnering aan jou mij altijd zal bijblijven. Ik hoop dat hetzelfde voor jou geldt en dat je me zult kunnen vergeven.

Als je deze brief wilt beantwoorden gebruik dan het volgende adres: De Oorsprong – Vaartweg 12 – Obdam.

Uit dit briefpapier zou je kunnen opmaken dat ik weer op het makelaarskantoor werk, maar toen ik mij weer op mijn werk meldde werd ik op staande voet ontslagen. Tot ik iets nieuws gevonden heb beheer ik de meubelhal van mijn vader. In zijn afwezigheid moet er toch iemand zijn zaken waarnemen.

Wees innig omhelsd,

Harry.'

Het was een jaar geleden, maar geen woord over zijn moeder. Zijn brief was even persoonlijk als een deurwaardersexploot. Teruggaan naar je vrouw maar wel naast haar aan het lichaam van een jonge meid liggen denken. Ik begreep steeds minder wat Tracy ooit in hem gezien had. Of ging het haar alleen maar om het lichamelijke, het neuken. Zoals ze op dat moment waarschijnlijk met Bruce lag te doen. Jaloers was ik niet, maar ik voelde mij die avond in de steek gelaten, alleen in het donker. Op het dak tikten de poten van een slapeloze vogel. Harry had mijn handel overgenomen.

Ik weet niet waarom, maar op dat ogenblik besliste ik dat ik niet meer terug wilde. Het leek me beter dat Tracy de brief niet in handen kreeg. Ik hield hem boven een van de brandende pitten van het fornuis. Eerst schroeide er een gat in het midden, het papier kleurde sepia. Nog even lichtten Harry's fletse woorden op, toen dwarrelde het verbrande papier in grijze vlokken op de keukenvloer.

VIII

1

Vrijdag 22 december 2000. Ik luister naar het gebulder buiten en schrijf in mijn agenda: 'Vliegende storm, windkracht tien.' Dat heb ik net op de radio gehoord. Ik zit met een beker warme koffie tussen mijn handen. De tegelkachel loeit, ik voel de gloed. Zo nu en dan kraken er planken in het huis. Buiten wervelt de wind de sneeuw van de vorige dag de lucht in. Iedereen zit thuis met de televisie of de radio aan, hopend dat de stroom niet uit zal vallen.

Mij zeggen berichten uit de buitenwereld nog steeds heel weinig. In augustus is een Russische atoomonderzeeër in de Barentsz-zee vergaan, het was dagelijks op het nieuws. Beelden van hoge golven. Daarin was de onderzeeër met naar schatting meer dan honderd opvarenden gezonken. Door een ontploffing van een van de torpedo's, vermoedde men. Ik keek ernaar maar het zei me niets, die gebeurtenis behoorde tot een wereld waar ik niet langer deel van uitmaakte, waar ik alleen maar als een slaapwandelaar doorheen liep.

Ik deed mijn werk in de loods, kocht en verkocht meubels, gebruiksvoorwerpen en andere spullen uit de inboedels zonder er echt in geïnteresseerd te zijn. Pas als ik met Bruce aan de junkboeken werkte leken de voorwerpen uit de dood op te staan en met een door ons verzonnen verleden aan een nieuw bestaan te beginnen. En soms kwamen dingen op een andere manier tot leven.

Op een dag kwam er een gesloten kartonnen verhuisdoos in de inboedel van meneer Hargrove uit Lenfield mee. Het was middenin de zomer, de verhuisdoos stond op het gras voor de loods en Tracy maakte hem open. Ze was altijd nieuwsgierig als er een nieuwe voorraad arriveerde, vroeg naar de functie van voorwerpen die zij niet kende, zoals een houten maasbal en een glazen bol met slangen, die Bruce een zaadzuiger noemde, waarmee vrouwen vroeger het zaad uit hun vagina, na wat ze toen gemeenschap noemden, probeerden weg te zuigen. Tracy hield het apparaat vol verbazing met twee handen omhoog en kneep een paar keer in de rubberen bal die onderaan een van de slangetjes bungelde.

Die zomermiddag maakte ze de verhuisdoos open en trok er de ene na de andere jurk uit te voorschijn, jurken van meneer Hargrove's vrouw. Het waren simpele jurken. Linnen, katoen en zijde met ouderwetse bloemmotieven bedrukt. Sommige hadden pofmouwen. De meeste waren hooggesloten, een enkele had een boothals. Tracy spreidde ze naast elkaar uit op het gras, trok haar T-shirt en spijkerbroek uit en begon ze te passen. En zo verscheen boven haar bruine blote benen de kanten rand van een witte knoopjesjurk waarin ze eruitzag als een decent kostschoolmeisje, tooiden haar bovenarmen zich met geplisseerde paarse pofmouwen die eens rond de bovenarmen van mevrouw Hargrove moesten hebben gespannen, kwamen alleen haar voeten met de roodgelakte teennagels onder de zoom van een lange grijze japon uit, die te wijd viel rond haar smalle heupen. Bij iedere stap trok de zijde over haar billen strak. In een uur tijd veranderde ze in vijftien verschillende vrouwen. Terwijl ze zo parmantig op het gras voor mij heen en weer paradeerde zei ze: 'Nu ben ik mevrouw Hargrove.'

'Mevrouw Hargrove is al langgeleden gestorven,' zei ik. 'Dat kun je wel aan die ouderwetse jurken zien. Misschien geef ik ze aan mevrouw Swan.'

'Aan mevrouw Swan,' zei Tracy, 'die oude vrijster?'

'Ze deelt kleren aan de armen uit,' zei ik. 'Ze is een beetje gek maar op haar manier doet ze goed werk.'

De storm vlaagt van alle kanten om het huis. Ik hoor de ladder op het dak schuiven, hoop maar dat hij goed zit vastgesjord. Je kunt je al bijna niet meer voorstellen dat het op deze plek zomer is geweest, zo warm dat Tracy naakt lag te zonnen op een handdoek in het gras voor de veranda.

'Er komt hier toch nooit iemand,' zei ze, 'je vindt het toch niet erg? In die paar weken dat hier de zon schijnt wil ik graag helemaal bruin worden.'

Als ze zich op haar buik draaide zag ik de twee kuiltjes boven haar billen, hetzelfde soort kuiltjes dat ook in haar wangen sprong als ze lachte. Op haar linkerdijbeen zat een grote moedervlek.

'Die moet je laten weghalen,' zei ik.

'Zolang het geen vadervlek is...' zei ze.

We hadden het nooit over de tijd dat ze met Harry in het huis had gewoond. Zo nu en dan kwam er een brief van Sandra waarin ze vroeg wanneer ik nu eens thuiskwam.

'Ja, waarom ga je eigenlijk niet terug?' zei Tracy.

'Waar naartoe?' vroeg ik.

Ze trok haar schouders op, krabde aan een muggenbult in haar knieholte. 'Iedereen moet toch ergens naartoe,' zei ze.

‘Waarom?’

Ze spreidde haar handen.

‘Het geluk is daar waar men niet is.’

‘Dat heb je van Bruce,’ zei ik. ‘Dat heeft hij niet bedacht, het is een uitspraak van Goethe.’

‘En wie is Goethe?’

Ik legde haar uit wie Goethe was.

‘Ik heb niks met dichters,’ zei ze. ‘Op school zat zo’n jongen die gedichten voor me schreef. Ik begreep er nooit iets van, maar ik heb ze wel bewaard, al heb ik geen idee waar ze nu zijn.’

‘Thuis misschien,’ zei ik.

‘Je denkt toch niet dat mijn ouders mijn spullen bewaard hebben? Die hebben ze tegelijk met mij buiten de deur gezet.’

Ik vroeg haar naar vroeger, haar jeugd, maar daar wilde ze niet over praten, net zomin als over Harry. Geen woord meer. Gedane zaken. Maar of ze er werkelijk zo over dacht?

Op een middag stootte ze haar teen tegen een punt van de openstaande ijskastdeur. Ze huilde van de pijn, uit het topje druppelde bloed.

‘Ga zitten,’ zei ik, ‘ik ga iets halen om het te verbinden.’

‘Het doet zo’n pijn,’ snikte ze.

‘Ik ben zo terug,’ zei ik en liep naar boven. Maar nergens in de badkamer was verband. Tenslotte pakte ik de sweater die Harry had achtergelaten en knipte er lange repen van, die ik voorzichtig om haar bloedende teen wikkelde. Ze zag bleek. Ik zette thee voor haar. Ze keek naar de verbonden teen en wees ernaar.

'Waar is dat van?'

'Van de oude sweater die Harry heeft laten liggen.'

'Godverdomme, wat deed dat pijn,' zei ze even later en slurpte voorzichtig van haar thee. 'Weet je Stijn, het is met pijn net zoals met die liefde van Harry en mij.'

Ik zei dat ik haar even niet kon volgen.

'Nu is de pijn weg,' zei ze, 'maar zonet was er even niets anders dan dat, ik was alleen nog maar pijn. En nu voel ik er nauwelijks iets meer van, ik kan er alleen nog over praten, maar dat is de pijn niet. Zo was het ook met Harry en mij. We hadden alleen nog maar oog voor elkaar, we moesten elkaar aanraken, ieder moment, overal zaten we aan elkaar. Op de gekste plekken hebben we het met elkaar gedaan. En nu, net als die pijn van zo-even: weg.'

'Maar je hebt toch herinneringen?'

'Nee. Passie laat geen herinneringen na, net als pijn. Alleen maar woorden. En woorden zijn geen herinneringen.'

'Wat zijn dat dan wel?'

'Dingen waaraan ik niet wil denken. Die ik niet wil zien.'

Dat zei ze. Ze wilde niet over vroeger praten.

'Alleen dit,' zei ze.

Ze pakte haar bruine portemonnee die op tafel lag en haalde er een foto uit die ze me nooit eerder had laten zien.

'Hij is door een straatfotograaf in Halifax genomen. We waren net aangekomen. Zo zagen we er toen uit, zo keken we naar elkaar. Het is bijna onbeschaamd, vind je niet?'

Ik pakte de foto en bekeek hem. Ze hielden elkaar niet

vast, keken elkaar alleen maar aan, op het punt zich op elkaar te storten, zich in elkaar vast te bijten. Onbeschaamd, ja inderdaad.

'Zo keek hij anders nooit,' zei ik.

Ik haalde de pasfoto tevoorschijn die ook op internet had gestaan en vergeleek Harry's gezicht met het gezicht op de foto die zij mij net gegeven had. Zijn ernstige gezicht met het hoge voorhoofd en de spitse kin leek op de foto met Tracy zachter, meer ontspannen dan op de pasfoto. Het viel niet te ontkennen, hij zag er in Halifax gelukkig uit, met op de achtergrond een benzinestation met een potpalm naast de deur. Ze draaide haar hoofd schuin en keek met mij mee.

'Voor en na de behandeling,' zei ze. 'Zie je wat ik bedoel?'

Ik knikte.

Het wordt pas laat licht en tegen half vier valt de schemering alweer. Ingesneeuwd. Daar had ik als kind vaak over gefantaseerd. Dat ik volkomen ondergesneeuwd raakte op een eindeloze witte vlakte. In een boek over de expeditie van Amundsen dat ik uit de bibliotheek had geleend wist ik dat het een zachte dood was, net alsof je in slaap viel. Alleen werd je niet meer wakker en je werd ook nooit meer teruggevonden. Zulke fantasieën gaven mij een heerlijk gevoel van verlatenheid. Je wist dat je gered zou worden, dat beneden de lichte, warme huiskamer met Ate en Irma op je wachtte, die het vreemde lachje op je gezicht niet begrepen toen je de huiskamer binnenkwam. Hetzelfde geheimzinnige lachje als het lachje dat Martijn vertoonde als hij middenin de hal van De Oorsprong in een enorm tweepersoonsbed onder de dekens vandaan kroop.

Tracy wilde niet over vroeger praten. Ik wel. Dat wist ze. Steeds weer begon ze erover. Hoe ik Geesje had leren kennen, hoe het was om haar in mijn armen te houden, haar te kussen. Tracy was pas twintig maar onbeschaamd en nieuwsgierig en ik was gelukkig dat ik iemand had waarmee ik over Geesje kon praten.

Er gebeurt iets waar iedereen me hier al voor gewaarschuwd heeft: het licht valt uit. Alle elektriciteitsleidingen lopen hier nog aan palen. In de woonkamer sterft het geluid van de oude buizenradio weg, de rode lampjes in het hertengewei naast de boekenkast floepen uit. Ik scharrel naar de keukenkast en neem het pak kaarsen eruit. De kaarsvlam flakkert door de tocht en de houten wanden veranderen in bewegende, golvende panelen. En plotseling herinner ik mij de olielamp op het blauw-witgeblokte zeildoek van mijn grootvaders keuken, hoe hij de glazen huls optilde en met een klein schaartje, dat hij gewoonlijk gebruikte om de punten van zijn sigaren af te knippen, de pit in de lamp snoot. Waar komt dat beeld vandaan? Een ogenblik is het helder. Niet alleen duidelijk, ik voel ook hoe ik daar aan tafel zit en nog net niet met mijn voeten bij de grond kan en de hakken van mijn schoenen achter een stoelsport klem. Ja, deze herinnering bestaat echt, echter dan de herinneringen aan Geesje die ik aan Tracy vertel.

'Ach,' zei ik op een middag, toen we op de veranda zaten en uitkeken over de verwaarloosde akker waarop al jaren niets meer verbouwd werd en waar hier en daar nog schamele plukjes tarwe en rogge de kop opstaken als een herinnering aan vroegere landbouwactiviteit, 'het is allemaal zolang geleden, je weet niet meer of je het je echt herinnert, of het geen herinnering aan een herinnering is, steeds verder van de oorspronkelijke gebeurtenis vandaan.'

'Wat is je allereerste herinnering?' vroeg Tracy.

'Dat ik door de spijlen van een box naar het voorbijfladderen van een jurk kijk en Irrie roep. Ik kon nog geen Irma zeggen. Ik kon nog niet lopen dus het moet heel langgeleden zijn. Daarna is er niets meer tot een jaar of vier toen ik bij mijn grootvader, bij Arend, op het erf op de poepdoos werd gezet, die over een sloot was gebouwd. Ik herinner me hoe ik me doodschrok toen twee eenden kwakend onder mij door zwommen.'

Tracy lachte haar tanden bloot, haar opstaande neusje glom in de zon.

'Ik zie het helemaal voor me,' zei ze.

'En wat is jouw eerste herinnering?' vroeg ik.

'Er valt een schaduw over mij heen. Dan word ik opgetild en het volgende ogenblik zit ik in een kast. Ik zie die kast niet voor me maar ik weet dat ik opgesloten zit en als een gek op de deur begin te timmeren. Ik weet niet meer hoe oud ik toen was, vijf, zes misschien.'

Ze kijkt even ernstig voor zich uit, glimlacht dan verontschuldigend.

'Allemaal rotherinneringen, niets dan kloteherinneringen heb ik.'

'Het gekke is dat ik me dingen van heel vroeger veel beter herinner dan de dingen van de afgelopen tijd,' zeg ik. 'Ze zeggen dat het door ouderdom komt.'

'Dan hoop ik maar dat ik niet oud word,' zei Tracy beslist.

Ik sta op en vul de tegelkachel met een paar houtblokken bij. Als Tracy nu in New York is moet ze het koud hebben. Ik kan het niet laten bij het weerbericht op de televisie altijd even te kijken hoe het weer in New York is. Gisteren vroor het daar ook elf graden.

Maar het is waar wat ik tegen haar zei: de herinneringen aan mijn vroege jeugd zijn scherp en helder. Vooral de polder rond het dorp, de grote wijde luchten erboven. De sloten waren nog niet rechtgetrokken. Veel mensen hadden een bootje, Ate ook. Op zondag, als andere mensen in de kerk zaten, gingen wij met zijn drieën het water op. Ate had als het mooi weer was zijn trompet bij zich. Hij was lid van het harmonieorkest van het dorp dat elke woensdagavond repeteerde in het schooltje. Irma geneerde zich er altijd een beetje voor als hij op de voorplecht zittend de trompet aan zijn lippen zette en een liedje speelde. 'Niet zo hard Ate,' riep ze al roeiend. 'Ik speel voor de vogels en voor het vee,' riep hij en keek triomfantelijk over de weilanden uit en blies verder. Van godsdienst moest hij niets hebben. Hij was vrijdenker, zei hij, zonder dat nader toe te lichten. Sommige mensen wilden geen meubels van hem kopen omdat hij niet katholiek was. 'Alsof er katholieke meubels bestaan,' zei hij dan spottend.

De grote wandplatenkist in de kamer van de meester had hij gemaakt. Daar was ik trots op. Soms mocht ik van meester Does een wandplaat uit mijn vaders kist gaan halen. 'Haal jij de Batavieren eens. Of de Overwintering op Nova Zembla.' Daar vertelde hij dan over. Dat herinner ik mij. Maar de gezichten van de kinderen met wie ik in de klas zat, geen enkele meer.

Er kwam een brief van Sandra aan mij. Ze vertelde me dat Harry zolang De Oorsprong had overgenomen en vroeg wanneer ik nu eens thuiskwam. Ze zouden het allemaal prettig vinden als ik oudejaar met hen zou vieren. Ik begon aan een antwoord, maar halverwege de brief verfrommelde ik het papier en gooide het in de kachel.

En plotseling gaat het licht weer aan. De flakkerende schaduwen op de muren verdwijnen en uit de woonkamer hoor ik muziek uit de oude radio langzaam aanzwellen. Als ik de woonkamer in ga branden de rode lampjes in het gewei. 'Lichtend voorbeeld' noemde Bruce dat ding toen hij het aan Tracy gaf. Ik ga in de leunstoel zitten en luister naar de muziek, een schetterend dansorkest uit de jaren veertig.

Als de muziek afgelopen is zegt de omroeper hoe het stuk heet: *Trumpet Blues* van het orkest van Harry James. Dat was de muziek die na de oorlog thuis uit het metalen kastje van de radiodistributie kwam, het was Amerikaanse muziek die vertelde dat wij bevrijd waren, luid en met iets dat mijn vader swing noemde. Dat wist hij van de dirigent van het harmonieorkest Voor Ons Genoegen, meneer Zijlstra.

Meneer Zijlstra was in de wijde omtrek de enige die een elektrische grammofoon bezat, zo een met een lichte kop van plastic, Amerikaans en meegebracht door een neef. Meneer Zijlstra hield van jazzmuziek, hij had een hele verzameling 78-toerenplaten, die hij in zijn huis aan de rand van het dorp draaide. Dat was streng verboden. Overal zaten NSB'ers, maar meneer Zijlstra trok zich nergens iets van aan. In de winter van 1944 sloten de Duitsers de stroom af. Meneer Zijlstra zat net naar een plaat te luisteren, die middenin de muziek stopte. Toen begon de tijd van de kaarsen, de olie- en carbidlampen. 'Op 7 mei 1945 hadden we weer stroom,' zei Ate, 'en het mooie was dat meneer Zijlstra dat merkte doordat midden overdag die jazzplaat opeens weer begon te spelen vanaf de plek waar de naald was blijven staan. Alsof er al die tijd niets was gebeurd, alsof die tijd helemaal niet had bestaan.'

2

De storm heeft de lucht schoongeveegd. Het waait nog wel maar je kan tenminste weer naar buiten. Met een harde bezem veeg ik de opgewaaide sneeuw van de veranda. Ik loop door de krakende bevroren laag om het huis heen, maar zo te zien heeft de storm geen sporen nagelaten. Over de weg hoor ik een auto aankomen.

Bruce heeft zijn leren jas met bontkraag aan. De naden op de ellebogen zijn gesprongen. Hij blaast in zijn groene legerhandschoenen en komt stampvoetend binnen.

'Eens even kijken of je nog leeft,' zegt hij. 'Niks kapot?'

'Nee,' zeg ik, 'alleen viel het licht uit.'

'Koffie,' zegt hij.

Hij tast in de binnenzak van zijn jas en haalt er een zilveren heupflacon uit. Rum.

'Moet dat niet met thee, wil je niet liever thee?'

'Thee, koffie, het gaat om de rum. Brandstof voor het hart. Heb je zin om vanmiddag mee te gaan naar Lenfield? Gaan we bij Garden City eten en daarna een borreltje drinken bij Sylvie en Rose.'

Hij legt zijn rechterhand op zijn hart.

'Ik betaal. Heel Lenfield heeft een kerstboom van mij staan.'

Als Bruce mij op komt halen is het al bijna donker. De motor van de Dodge loopt onregelmatig. Bruce hoort het ook.

'We moeten even langs Lewis, een nieuwe bougie halen.'

Hij klopt met zijn gehandschoende hand op het stuur.

'Het is nog een wonder dat ik deze oude brik bij tien graden onder nul aan de praat krijg.'

Lewis is er niet maar zijn pukkelige zoon Fred weet de bougies na wat zoeken in het magazijn achter het pompstation toch te vinden. Bruce doet de motorkap open, trekt de bougies er een voor een uit, bekijkt ze en wrijft ze schoon aan zijn handschoen.

'Het is deze,' zegt hij en houdt er een omhoog. Hij draait de nieuwe bougie op zijn plaats en laat de motorkap dichtvallen.

Het heeft al een paar dagen niet meer gesneeuwd, de sneeuwhopen langs de kant van de weg zijn ingeklonken met hier en daar een zwarte rand. Bruce zet de radio aan. We luisteren naar het weerbericht. Meer sneeuw. Onderweg naar Lenfield komen we niemand tegen.

'Het jaar loopt in deze tijd naar beneden, een diepe kuil in,' zegt Bruce. 'Als we daar maar weer uit zijn.'

'Dan begint de eenentwintigste eeuw,' zeg ik.

'Onze laatste,' zegt Bruce.

'Dat is wel zeker,' zeg ik lachend.

We parkeren de Dodge op het verlaten plein en lopen naar de met kersttakken versierde deur van het Indiase restaurant Garden City. Als we binnen zijn en onze jas hebben laten aannemen door een getint meisje dat zo klein is dat wij diep door onze knieën moeten buigen om haar de gelegenheid te geven onze jassen van onze schouders te sjorren, zie ik dat dit interieur niet aan India maar aan China doet denken. Aan de muren hangen lichtbakken waarin ijle landschappen in mistflarden oplossen. Boven de bar hangt zo'n lichtbak met een waterval die zich tussen groene rotsen naar beneden stort. Het water lijkt echt te bewegen, in een onafgebroken neerstortende stroom. Voor het raam zit een man in de witte overall van een oliemaatschappij te eten. We gaan wat verderop in het verder lege restaurant zitten. Uit de luidsprekers in de zaak klinken hoge Chinese stemmetjes die ik mij van vroeger herinner. Maar het menu is Indiaas. We bestellen lamb curry. Ik ben hier nog nooit geweest.

'Ze komen allemaal regelrecht uit India,' zegt Bruce, 'de hele familie Singh. Maar toen ze begonnen is er een vergissing gemaakt bij het bestellen van het interieur. Restaurantinterieurs kun je namelijk kant en klaar bestellen. Ze hebben per ongeluk een Chinees interieur gekregen en dat maar zo gelaten, de mensen in Lenfield weten het verschil toch niet. Een drankvergunning hebben ze niet dus laten we maar een pot thee bestellen.'

'Wat een zenuwenmuziek,' zegt Bruce.

Onder het eten vraagt hij aan het meisje of ze geen andere muziek heeft. Achter de bar is de keuken. We horen zacht pratende stemmen. Het meisje verdwijnt en komt even later terug met een bandje dat ze in het cassettedeck schuift. De Chinese stemmetjes maken plaats voor een nasaal gezongen country-and-western-lied. Bruce grijnst.

'Dit is zo mogelijk nog erger.'

De man in de overall heeft zijn overvolle bord rijst met vlees in een ommezien naar binnen gewerkt en vertrekt met wat binnensmonds gemompel. Nu zijn wij nog de enigen. Bruce legt zijn handen op het plastic tafelkleed, kijkt om zich heen en zegt: 'Laten we naar de Rose Room gaan.' Hij haalt zijn portefeuille uit de achterzak van zijn spijkerbroek en legt een twintigdollarbiljet op tafel.

'Laat maar zitten,' zegt hij tegen het ranke meisje dat zich dood lijkt te schrikken van de forse fooi.

'Christmas,' zegt Bruce als hij haar verwarring ziet. 'Koop maar iets moois voor je zoontje.'

Hij wijst naar de bar.

'En doe iets aan die waterval; hij staat stil.'

Hij heeft gelijk, het eeuwig neerstromende water is gestold tot een foto.

Voordat wij weer verwikkeld raken in Indiase beleefdheid hijsen wij onszelf in onze jassen, steken het plein over en lopen naar de Rose Room schuin aan de overkant. Voor het raam brandt een neonreclame voor Budweiser, de donkere overgordijnen zijn gesloten.

Aan een tafeltje achterin de pijpenla zitten twee mannen met cowboyhoeden op.

'Die zijn zeker met de muziek uit Garden City meegekomen,' zegt Bruce en zwaait even naar Sylvie. Hij maakt een cirkelend gebaar in de lucht en Sylvie duwt een glas onder de houder met de omgekeerde whiskyfles. Aan de bar zit niemand.

'Is Jane er niet?' vraagt Bruce.

Sylvie wijst met een vuurrode nagel naar het plafond. Bruce knikt en kijkt om zich heen.

'De volgende keer moeten we zelf maar mensen meenemen,' zegt hij. 'Heel Lenfield hangt tegenwoordig voor de tv.'

Hij wijst op een basketbalwedstrijd die zich op het

scherm van een schuin boven de bar hangend toestel als een dansvoorstelling in doodse stilte afspeelt.

'Vreselijk,' zegt hij. 'Vroeger kon je hier over de hoofden lopen. Iedereen zat vol verhalen. Nu staren ze allemaal naar die Amerikaanse rotzooi.'

Naast het toilet gaat een deur open. Ik herken de lange magere gestalte. Oliver Friedlander.

'Ollie!'

Bruce staat op en gaat hem met gespreide armen tegemoet.

'Professor!'

Oliver legt zijn vinger op zijn lippen.

'Alsjeblieft,' fluistert hij.

'Je was even boven,' informeert Bruce.

Oliver knikt.

'Heel goed. Je mag de menselijke contacten niet verwaarlozen.'

Oliver wil een cola ondanks het feit dat Bruce aandringt voor hem een whisky te bestellen.

'Wat heb je daar in dat tasje?' vraagt Bruce.

Ollie drukt het plastic tasje tegen zich aan alsof hij bang is dat Bruce het van hem af zal pakken.

'Ik ben gevraagd door een radiostation in Port Felix om een programma te verzorgen met muziek uit de omgeving. Dit zijn allemaal opnamen die ik zelf gemaakt heb.'

Hij neemt een laatste slokje cola.

'Ik moet er vandoor,' zegt hij. 'Het is een live-uitzending.'

'Hoe laat?'

'Elf uur.'

Ollie heeft alleen een regenjas aan.

‘Hij heeft maar één jas,’ zegt Bruce. ‘Ik begrijp niet dat hij niet doodvriest.’

Er komen geen nieuwe klanten meer binnen. De mannen met de cowboyhoeden drinken grote glazen bier en spreken gedempt met elkaar. Dan vragen ze Sylvie om een spel kaarten.

‘Ollie is om elf uur op de radio,’ zegt Bruce als ze twee nieuwe whisky’s voor ons neerzet.

‘Toch niet om over Jane te roddelen, hoop ik,’ lacht Sylvie haar twee gouden boventanden bloot.

‘Ik heb nooit last van depressies,’ zegt Bruce. ‘Mijn baard eraf. Maar in deze tijd van het jaar... Overal die vreselijke kerstliedjes. Sylvie, mag die muziek alsjeblieft af. Heb je niet iets van Frank Sinatra?’

‘Komt zo,’ zegt Sylvie en legt haar lillende bovenarmen op de bar. ‘Het is een kerst-cd.’

‘Ook dat nog,’ zegt Bruce.

‘Kom, we gaan. Ik breng je wel even thuis.’

In de auto zegt hij: ‘Wat denk je ervan om met oud en nieuw bij mij te komen. In je eentje oudejaar vieren, dat is te veel voor een mens alleen.’

‘Waarom niet,’ zeg ik.

Als ik thuis ben probeer ik het programma van Oliver Friedlander op de radio te vinden, maar tussen alle stemmen en muziek kan ik de zijne niet vinden. Na het zoveelste ‘Jingle Bells’ laat ik de radio een zachte dood sterven en ga, een beetje licht in mijn hoofd, naar bed. Bruce heeft gelijk, het is alsof het leven stilstaat. Misschien dat we het samen weer op gang kunnen krijgen.

IX

1

Net als het vorige jaar was ik met Kerstmis alleen. Maar deze keer was het anders. Toen hield ik de gordijnen gesloten en ging ik om half elf naar bed, nu maakte ik goulash uit blik warm en at die voor de tv op. Het hertengewei met de rode lampjes fungeerde als kerstboom. Later op de avond keek ik naar de film *High Society* met Bing Crosby, Grace Kelly en Louis Armstrong.

Ate had een hekel aan Kerstmis, het feest dat hij het 'feest der schijnheiligheid' noemde. Maar dat belette hem niet flink te eten van Irma's kerstdiner. Het was ook de enige keer dat hij wijn dronk, goedkope wijn uit de supermarkt die hij met kleine, voorzichtige teugjes tot zich nam, alsof hij een dure Bordeaux dronk. Meestal aten wij kalkoen. Op konijn rustte sinds dat mislukte kerstdiner geen zegen meer. Irma had toen een konijn gemarineerd en de schaal de volgende dag in de oven gezet. Om de braadlucht uit de rest van het huis te weren had ze de keukendeur dichtgetrokken. Toen het konijn gaar was kreeg ze de keukendeur met geen mogelijkheid meer open. Er moest bij het dichttrekken een lipje in het slot verbogen zijn. Tenslotte moest Ate de hele deur uit zijn hengsels tillen. Een blauwe walm kolkte hem tegemoet. Irma zat te huilen aan de tafel met de kerstloper en de brandende kaarsen terwijl Ate alle ramen tegen elkaar openzette. Die avond aten wij erwtensoep. Sindsdien durfde ze met Kerstmis nooit meer konijn op tafel te brengen.

Als ik het aan Bruce vertel moet hij lachen.

'Ik wel,' zegt hij, 'ik heb konijn gegeten. Van de herfst heb ik er een geschoten en in de vriezer gelegd. Goed glas wijn erbij.'

'Heb je ook naar *High Society* gekeken?'

Bruce schudt zijn hoofd. Hij heeft een grasgroen overhemd aangetrokken en loopt op een soort mocassins bestikt met gouddraad.

'Ik ben naar de kerk geweest,' zegt hij, 'naar de Hubertuskerk.'

'Jij naar de kerk?'

'Een oude traditie,' zegt hij. 'Thuis werd er streng de hand aan gehouden. Mijn vader las voor uit het evangelie. "En het geschiedde in die dagen". Hij las met een diepe plechtige stem en ik was onder de indruk, of ik nou wilde of niet. Die dingen raak je nooit meer helemaal kwijt. Noem het een ritueel. Juffrouw Swan was er ook. Over haar gesteven kapje had ze een wollen sjaal gewikkeld en in haar lange zwarte jas zag ze er vervaarlijk uit. Ze stond bij de ingang en predikte hel en verdoemenis terwijl de kerkgangers zwijgend langs haar naar binnen schuifelden. "Ye sinners, repent," riep ze steeds maar. Eenmaal in de kerk voelde ik mij als een kat in een vreemd pakhuis, met al die vreugdeloos zingende mensen in hun zondagse goed. Maar de kerstboom naast de preekstoel had ik geleverd. Je moet ook een beetje aan je klandizie denken. Een atheïstische kerstboomverkoper kan in hun ogen niet.'

'Een animistische dan?'
'Die nog minder.'

2

Voor de verandering zitten we deze oudejaarsavond niet in de keuken, maar in Bruce' woonkamer. In een hoek brandt zijn op wrakhout gemonteerde schemerlamp. Op een tafel naast zijn boekenkast licht zijn computerscherm op. Hij heeft de flessen en glazen al klaargezet op de lage houten tafel voor de bank. Ertegenover flakkeren vlammen in de open haard. Voor de gelegenheid heeft hij zelfs zijn bed in de hoek van de kamer opgemaakt.

'Hier,' zegt hij, en pakt een papier van tafel. 'Een e-mail van Tracy. Ze wenst ons een gelukkig nieuwjaar.'

Verder staat er niet veel in. Niet waar ze woont, wat ze doet, alleen dat ze het goed maakt.

Bruce pakt het papier uit mijn hand.

'Met Hotmail,' zegt hij, 'waarschijnlijk heeft ze dit vanuit een internetcafé gestuurd.'

Hij schenkt onze glazen vol calvados.

'Een paar kistjes appels op de markt en de alcohol doet de rest,' zegt hij.

De alcohol doet meer dan de rest. Voor het eerst zie ik Bruce een pijp opsteken. Geur van zoetige tabak die zich vermengt met de harslucht van de knetterende dennenstammetjes in de haard.

'Hoe zou het met haar gaan?' vraag ik.

'New York is een harde stad, als ze daar tenminste zit. Maar Tracy blijft wel overeind. Aardig dat ze tenminste aan ons heeft gedacht.'

'Ik heb nooit veel van haar begrepen,' zeg ik. 'We hebben een halfjaar in hetzelfde huis gewoond, maar wie ze was... Ze wilde het nooit over haar verleden hebben. Zelfs herinneringen zwoer ze af. Als zoiets al mogelijk is.'

'Natuurlijk niet,' zegt Bruce. 'Het waren alleen geen leuke herinneringen. Begrijpelijk dat ze er niet over wilde praten.'

'En tegen jou? Ik bedoel, ze bleef toch wel eens bij jou?'

Bruce schenkt de glazen bij.

'Vond je dat erg?'

Ik schud mijn hoofd.

'Eén keer heeft ze me erover verteld. Dat verhaal ging over haar vader. Eigenlijk begon ik erover. Ik had haar op een middag het kerkhof laten zien. De meeste zerken liggen plat. Veel namen zijn al bijna onleesbaar. Toen vertelde ik over de begrafenis van mijn vader. Een hartinfarct, verder niets tragisch. Maar hij had een laatste wil, hij wilde gecremeerd worden, wat in de jaren zestig nog niet erg gebruikelijk was hier. Zijn as moest uitgestrooid worden in de vijver die hij achter zijn huis had laten graven. Daar moest je toestemming voor hebben. Enfin, dat had heel wat voeten in de aarde. Mijn moeder vertelde dat er verschillende keren ambtenaren waren langs geweest om te controleren of de vijver niet in verbinding stond met open water. Alsof die oude van mij besmettelijk was.'

Hij lacht. De fles calvados gaat opnieuw open. Bruce' tempo ligt hoger dan het mijne, maar op oudejaarsavond zeur je daar niet over.

'Tenslotte was het zover, ze mocht de urn mee naar huis nemen. Ze nodigde vrienden en familie uit om getuige te zijn van de plechtigheid. Zelf was ik al jaren van huis, de meeste mensen kende ik niet. Als zoon moest ik van mijn moeder de eerste schep uit de urn in het water strooien. De mensen stonden om de vijver heen en keken wat ongemakkelijk naar het gladde water. Ik wilde nu eindelijk wel eens van hem af. Misschien kwam het daardoor dat ik zo'n grote schep as nam. Geschrokken trok mijn moeder de urn uit mijn handen. Ze keek erin. Toen hield ze mij de urn met de rest van de as voor en vroeg met een angstig gezicht: "Denk je dat er nog genoeg over is voor iedereen?"

Daar moest Tracy vreselijk om lachen. "Eigenlijk valt er niks te lachen," zei ik, "maar dat kun jij niet weten. Hij heeft mijn moeders leven kapotgemaakt." 's Avonds in bed vroeg ze ernaar. Toen heb ik het haar verteld.

Vijf jaar nadat ze getrouwd waren was mijn moeder nog steeds niet zwanger. Mijn vader was een ongeduldig mens. Hij had een werf met twintig man personeel en hij was gewend dat de mensen deden wat hij zei. Ze moest zwanger van hem worden maar ze werd het niet. Dat nam hij haar kwalijk. Twee jaar later besloot hij dat ze een kind moesten adopteren, een jongetje dat de zaak zou kunnen voortzetten als het eenmaal zover was. Mijn moeder had geen keus. Ze gingen samen naar een kindertehuis en hij koos een jongen uit.'

'En dat was jij?'

'Dat was ik. Maar toen ik zeventien was en wij op een avond in het botenhuis op de werf zaten te drinken – dat is de enige gewoonte die ik van hem geërfd heb – toen vertelde hij me wat er echt gebeurd was. Gek dat ik me dat botenhuis nog precies herinner, als de dag van gisteren. De mosterdgele plankenvloer, de lange tuimelramen die schuin naar binnen openstonden, want het was hartje zomer. In de jachthaven voeren witte boten in en uit. We zaten aan een tafel voor het raam, de whiskyfles tussen ons in. Mijn vader begon al kaal te worden, zijn grijze ogen keken meer terug dan vooruit. Terwijl hij zijn verhaal deed – of moet ik zeggen: zijn bekentenis? – keek hij van tijd tot tijd naar zijn roodverbrande knieën. Ik hoor zijn stem nog: gehavend en voor het eerst aarzelend, zoekend naar woorden.

Hij had mijn moeder bedrogen met een van de dienstmeisjes. Ik heb haar nooit gekend. Toen het kind zwanger van hem raakte, gooide hij haar het huis uit en preste haar het kind af te staan. Hij zorgde ervoor dat het in een kindertehuis kwam en betaalde alles. Toen hij met mijn moeder naar dat kindertehuis ging koos hij zijn eigen zoon uit.'

'En toen, hoe reageerde jij?'

'Ik vroeg of hij dit ooit aan mijn moeder verteld had. Nee, dat had hij niet. "Als je dat ook maar uit je hoofd laat," zei ik. Als je dat doet vermoord ik je. Kort daarna ben ik uit huis gegaan. Tot groot verdriet van mijn moeder natuurlijk, maar ik kon het leven van die twee niet meer aanzien.'

'Jezus,' zeg ik, 'wat een verhaal.'

'Dat vond Tracy ook. Op die avond vertelde ze over haar vader. Je kunt het misschien al wel raden.'

'Nee,' zeg ik, 'ze vertelde mij eigenlijk nooit iets persoonlijks. Ik haar wel, maar zij mij niet.'

'Haar vader misbruikte haar vanaf haar twaalfde. Toen ze op haar vijftiende zwanger van hem raakte, liet hij het kind wegmaken bij een of andere aborteur die ervoor zorgde dat ze nooit meer kinderen kan krijgen. Ze vertelde het met een merkwaardig vlakke stem, haar gezicht vertoonde geen enkele expressie, alsof het over iemand anders ging.'

'En haar moeder?'

'Die deed niets. Ze was als de dood voor die vent. Na die abortus hebben ze Tracy het huis uitgezet.'

Bruce staat op en gooit nog wat stammetjes op het vuur dat weer hevig begint te knetteren. Blauwe vlammetjes kruipen lekkend langs het hout omhoog.

'Ja Stijn,' zegt Bruce, 'daar is die Harry van jou niks bij.'

Hij loopt naar de computer.

'Schenk jij ons ondertussen nog eens in. De tijd begint te dringen.'

Ik zie dat hij verbinding met het internet maakt. Misschien wil hij met zijn halfdronken kop Tracy een brief terugschrijven.

'Kijk,' zegt hij, 'kom eens kijken.'

Ik sta op en loop onzeker naar hem toe. Op het scherm staat met grote letters MISSING LINK. Bruce klikt en nu verschijnt een lange lijst met namen, mannen en vrouwen, vooral uit de Verenigde Staten en Canada, maar ook een paar uit Europa. Allemaal vermist. Bruce zoekt de over het scherm rollende namen langs.

'Verdwenen,' zegt hij, 'Harry staat er niet meer op.' Dan breekt hij de verbinding af.

'Ik dacht dat je Tracy wilde antwoorden,' zeg ik.

Bruce ploft op de bank en vult zijn glas.

'Toen ze me dat verhaal verteld had begreep ik haar passie beter. Het ging niet om Harry, het ging niet om mij. Ze had alleen nog maar haar lijf. Dat kon tekeergaan zoals het wilde, zelf bleef ze buiten schot, onaanraakbaar.'

'Maar waarom ging ze dan met jullie naar bed?'

'Ik weet het niet. Misschien in de hoop dat ze zich terug het leven in kon neuken.'

Bruce wrijft over zijn brede neus, zijn Maori-neus.

'Verdomd,' zeg ik, 'verdomd, dat dienstmeisje, was dat soms een Maori?'

'Heel goed Sherlock Holmes,' zegt hij. 'Mijn moeder dacht dat ik de neus van mijn grootvader had, maar die had hem van de drank. Ik begin trouwens teut te worden.'

Hij schenkt de glazen nog maar eens vol, de fles is nu op een bodempje na leeg.

'We moeten de tijd in de gaten houden,' zeg ik.

'Het is een misverstand,' zegt hij. 'Bij de meeste mensen is seks een misverstand. Ze denken dat het hun meest persoonlijke uitdrukkingsvorm is, maar in wezen is het niets dan soortgedrag. Seks kun je met iedereen hebben. Daarom valt er over passie eigenlijk niets te zeggen.'

'Geen verhalen,' zeg ik.

' "A tale told by an idiot, full of sound and fury, signifying nothing." William Shakespeare. Shakespeare is onsterfelijk,' voegt hij er nadrukkelijk aan toe.

'Wij niet,' zeg ik.

Bruce kijkt mij met halfgeloken ogen aan.

'Nee, wij niet. Laten we daarop drinken.'

'Passie,' zeg ik, 'ik weet niet of ik die in mijn leven gekend heb. Misschien was ik er te schuchter voor. Toen ik jong was, gold er maar één devies: zelfbeheersing. Ik heb maar van één vrouw gehouden en zij is onafgebroken in mijn gedachten. Ik kan niet accepteren dat zij er niet meer is.'

Ik krijg vochtige ogen. Ook ik ben dronken nu.

Twee gekruist tegen elkaar steunende grijze dennenstammetjes storten met een opstuivende vonkenregen in elkaar.

'Ashes to ashes, dust to dust,' mompelt Bruce. 'Ik weet niet van wie dat is. Het boek Job misschien?'

Bruce kijkt op zijn horloge.

'Tijd voor vuurwerk,' zegt hij, loopt naar een kartonnen doos naast zijn bed en komt terug met twee enorme vuurpijlen verpakt in karmozijn zijdepapier. 'Made in China' staat er in zwarte letters aan de zijkant op gedrukt. Bruce pakt twee lege flessen van de aanrecht.

'Trek je jas aan,' zegt hij.

Ieder gewapend met een vuurpijl in een fles stappen wij het duister in. Als Bruce het buitenlicht heeft aangestoken staren wij in een golvend vlokkengordijn.

'Heb jij wel eens over je begrafenis nagedacht?' vraagt hij.

Ik kijk hem verbaasd aan.

'Nou nee, niet echt.'

'Ik wel,' zegt hij. 'Als ik dood ben moeten zij me op een boomstam binden en me met het zwaarste vuurwerk dat er te krijgen is de ruimte in schieten. Als een raket.'

We kijken in het zwarte gat buiten de lichtkring van de buitenlamp in zijn kooi van ijzerdraad. De wind voert in vlagen het beieren van een kerkklok aan.

'De Hubertus,' zegt Bruce.

Hij haalt een aansteker uit zijn zak, steekt de lont van zijn vuurpijl aan en zet hem terug in de fles. De lont brandt zacht sissend op tot aan de lont van de pijl die zich met een zoevend geluid uit de flessenhals losmaakt, in de witte warreling verdwijnt en hoog boven ons gedurende een paar seconden in een groen sterrenhemeltje uiteenspat. Dan is alles weer stil en zwart. Even is het alsof ik de sneeuw kan horen vallen.

Dan steek ik mijn pijl af. Er verschijnt een fonkelend rood firmament in al dat omringende zwart.

Bruce slaat zijn armen om mijn schouders.

'Gelukkig nieuwjaar,' zegt hij.

Ik wens hem hetzelfde.

'Ja, dat zou mooi zijn,' zegt hij terwijl we weer naar binnen gaan, 'in een regen van gekleurde sterren oplossen in het niets.'

Bruce maakt een nieuwe fles open.

'Op het nieuwe jaar.'

'Op de nieuwe eeuw,' zeg ik. 'Volgens mijn zoon Harry dan.'

'Wat maakt het uit,' slist Bruce. 'Tijd is van elastiek. Weet je wat het gekke is, Maori's vinden elkaar altijd terug. Het kan lang duren of het kan kort duren maar ze vinden elkaar.'

'Zelfs tussen de sterren?' vraag ik.

'Zelfs tussen de sterren.'

Hij kijkt mij met rooddoorlopen ogen aan; zo lijkt hij net een hond.

'Ik weet godverdomme niet eens hoe zij heet,' zegt hij. 'Die ouwe zei die avond in het botenhuis dat dat er niets toe deed. Dat mijn moeder mijn moeder was, zijn vrouw. Ze heeft er nooit iets van geweten.

Hij wankelt naar zijn bed, laat er zich op vallen en draait zijn rug naar mij toe. Een ogenblik later hoor ik hem snurken.

3

In het buitenlicht zie ik sneeuwvlokken voorbijglijden. Lichte vlokken zijn het, fijne ijskristallen staafjes die smelten op mijn uitgestoken hand.

In Nederland zou ik het niet in mijn hoofd hebben gehaald om zo dronken achter het stuur te kruipen, maar op deze nieuwjaarsnacht in een verlaten deel van Nova Scotia kom ik niemand tegen. Ik rijd met groot licht, de ruitenwissers ploegen heen en weer, in de lichtbundels van de koplampen dwarrelt en danst de sneeuw. Je moet er niet te veel naar kijken, naar al die je tegemoet bibberende vlokken, dan word je duizelig. Alsof je een donkere, wit bespikkelde tunnel wordt in gezogen.

Ik houd de grote lijnen in het oog, de zwarte weg tussen de lichte sneeuwwallen en de donkere muur van de dennen erachter. Bij iedere bocht neem ik gas terug, remmen op deze weg zou levensgevaarlijk zijn. Dan, na de zoveelste bocht, zie ik middenop de weg in de schuin vlagende sneeuw een donkere gestalte staan. Ik moet wel remmen. De auto (of is het de weg?) begint te schuiven. Ik klem mijn handen om het stuur en beland in een ijskoud universum van almaar uitdijende ruimte waarin de tijd tot stilstand is gekomen, waarin plaats is voor alles:

de klink van de achterdeur die met een zwak gerinkel wordt opgetild door drie spitse vingers, licht dat in die opwaartse beweging even in haar glanzend gelakte nagels weerkaatst

★

gespannen kuitspieren, trillend onder haar bruine vel als ze op haar tenen op het bleekveld de blauwe versleten overall van Ate aan de waslijn hangt

★

haar rug in een linnen jurk die oplicht als ze uit de schaduw van een parasol een pasgemaaid grasveld opstapt

★

muurtje van ruwgemetselde rode baksteen waarop ze haar geschoeide voet zet om de witte veter van haar tennisschoen vast te maken

★

het achterovergegooide hoofd dat met haar, vochtig van de motregen, naar een vogel tussen de wolken zoekt

★

haar knieholtes als vanouds mikpunt voor de om haar heen zoemende muggen

★

mijn vingers in het vel van haar gespannen, gekromde rug als zij zich schrap zet en het hijgen onder mij begint

★

haar blonde haren krullend van het zeewater, die eenmaal aan de badmuts ontsnapt alle kanten opspringen

★

haar aandachtig gebogen hals, een losgesprongen streng haar die ze al lezend verstrooid in haar kapsel terugschuift

Alles draait rond en staat stil. En dan in een flits en heel precies, in een licht dat nergens vandaan komt en nergens naartoe gaat: hoe zij een lieveheersbeestje over haar met moedervlekjes bespikkelde hand laat lopen. Ze buigt haar hoofd licht voorover en terwijl ze zachtjes blaast spreidt het insect zijn dubbele vleugeltjes en vliegt op van haar hand. Dan draait zij haar gezicht naar mij toe en glimlacht. Ik zie het, de adertjes in haar wangen, de kraaienpootjes opzij van haar ogen diepblauw van aandacht, de sproetjes aan weerszijden van haar kin, de dalende lange hals, alles volkomen bewaard, als in het barnsteen tussen twee eeuwen.

De auto komt schuin op de weg met draaiende motor tot stilstand. In het licht van de koplampen staat de eland nog steeds beweginglooos. Hij houdt zijn kop met het gewei licht gebogen. Het is alsof hij nadenkt. Dan tilt hij zijn kop op. Een ogenblik kijkt hij in mijn richting, ik zie zijn pupillen glanzen, dan stapt hij bedaard van de weg het bos in en verdwijnt. Mijn rug is kletsnat van het zweet.

Voorzichtig manoeuvreer ik de auto tot hij weer recht op de weg staat. Door de angst ben ik in één klap nuchter. Maar ik heb het me niet verbeeld. De eland niet, noch Geesjes gezicht.

'Je leeft,' mompel ik terwijl ik de auto traag op gang breng, 'je leeft.'

Ik zet de radio aan. Een mannenstem zegt dat het maandag 1 januari is, dat er een nieuwe eeuw is begonnen en dat ons een heldere dag te wachten staat.